________________ 님의 소중한 미래를 위해

이 책을 드립니다.

쇼펜하우어의 인생 수업

살아갈 힘을 주는 쇼펜하우어 아포리즘

쇼펜하우어의 인생 수업

아르투어 쇼펜하우어 지음 | 강현규 엮음 | 이상희 옮김

메이트북스

메이트북스 우리는 책이 독자를 위한 것임을 잊지 않는다.
우리는 독자의 꿈을 사랑하고,
그 꿈이 실현될 수 있는 도구를 세상에 내놓는다.

쇼펜하우어의 인생 수업

초판 1쇄 발행 2023년 11월 24일 | **초판 23쇄 발행** 2025년 12월 20일
지은이 아르투어 쇼펜하우어 | **엮은이** 강현규 | **옮긴이** 이상희
펴낸곳 (주)원앤원콘텐츠그룹 | **펴낸이** 강현규·정영훈
등록번호 제301-2006-001호 | **등록일자** 2013년 5월 24일
주소 04607 서울시 중구 다산로 139 랜더스빌딩 5층 | **전화** (02)2234-7117
팩스 (02)2234-1086 | **홈페이지** matebooks.co.kr | **이메일** khg0109@hanmail.net
값 14,900원 | ISBN 979-11-6002-416-6 03110

행복을 얻는다는 건 쉽지 않다.
우리 자신의 내부에서 행복을 얻기란 매우 어려우며,
다른 곳에서 행복을 얻기란 아예 불가능하다.

- 프랑스의 극작가 샹포르의 저서 <성격과 일화> 중 -

성찰이 깊어지고 지혜가 생기다!

'이렇게 살아도 되는 걸까' 하는 걱정이 드는가? 살아가는 것이 고통스럽고 힘든가? 공허함과 권태감이 부쩍 들어 방황하는가? 때때로 감정의 격동이 심해지고 우울해지는가? 이런 마음의 위기로 현재의 삶이 만족스럽지 않다면, 그래서 행복이란 감정을 느끼기가 어렵다면 이 책을 읽어보자.

이 책은 대철학자 쇼펜하우어의 행복과 인생의 본질, 인간관계의 본질, 그리고 학문과 독서와 독자적 사고의 본질 등에 대한 직설적인 조언을 담은 인생 지침서다. 1851년 출간된 이 책의 원제는 〈소품과 부록(Parerga und Paralipomena)〉으로, 쇼펜하우어의 생각들을 적은 글들과 글귀들을 모아놓은 책이다. 쇼펜하우어는 이 책에서 인생은 고통 그 자체지만 이 고통이 살아갈 힘을 준다고, 부와 명예는 행복에 큰 영향을 끼치지 않는다고, 남에게 보여주고 평가받기 위해 인생을 낭비하지 말라고, 덜 불행하게 사는 것이 행복하게 산다는 것의 진짜 의미라고 전한다. 이 책에 담긴 그의 철학은 프리드리히 니체, 아인슈타인, 카를 융, 바그너, 찰스 다윈, 헤르만 헤세, 프란츠 카프카, 카뮈, 칸트, 톨스토이, 도스토옙스키, 찰리 채플린, 토마스 만, 보르헤스 등 수많은 각계 거장과 명사들에게 큰 영향과 영감을 주었다.

세상을 떠난 지 150년의 세월이 지난 쇼펜하우어의 메시지에 현대인들이 큰 감동을 받는 데는 다 이유가 있다. 쇼펜하우어의 철학은 단지 위로를 건네는 유의 철학이 아니라 우리가 발 딛고 있는 진짜 삶을 이야기하는 진짜배기 철학이기 때문이다.

위로 따위라고는 일절 없이 독설과 직설 가득한 쇼펜하우어의 언어는 인간성의 상실과 가치관의 혼란이 극에 달해가고 있는 피폐한 신자유주의시대인 21세기에 '망치로 한방 맞은 듯' 더욱더 묵직하게 다가온다. 굳이 위로해주지는 않지만 다 읽고 나면 위로가 되는 묘한 쇼펜하우어의 매력, 누구나 알지만 미처 알지 못했던 쇼펜하우어 인생 철학의 정수를 이 책을 통해 느낄 수 있을 것이다.

쇼펜하우어에게는 염세주의자, 허무주의자, 비관주의자, 아웃사이더 등의 부정적인 꼬리표가 늘 붙었지만 사실 그 누구보다 인생을 사랑했고 인간을 사랑했으며, 치열하게 인생의 본질을 찾고자 했던 철학자였다. 단지 그는 현실주의자이자 실존주의자로서 우리가 살아가는 현실을 있는 그대로 직시하고, 이를 냉철하게 가감 없이 이야기했을 뿐이다. 그는 이 세상이 고통과 불행으로 가득하며, 인간의 행복은 그 고통과 불행을 얼마나 줄이느냐에 달려 있지, 행복으로 충만한 파라다이스는 현실이 아닌 상상 속에서나 가능할 뿐이라고 단호하게 이야기한다. 즉 행복은 꿈일 뿐이지만, 고통은 현실인 것이다. 이 세상이 결코 아름답지 않고, 우리 인간이 결코 합리적이지 않다는 것을 우리가 우선 인정하고 인간과 세상을 바라볼 때 그의 철학을 온전히 이해할 수 있게 되는 것이다.

쇼펜하우어가 첫 저서인 〈의지와 표상으로서의 세계〉에 담아내지 못한 글들을 추려 〈소품과 부록〉이란 제목으로 출간했던 이 책은 그에게 엄청난 호평과 대중적인 성공을 안겨주었다. 야심차게 출간한 〈의지와 표상으로서의 세계〉는 내용이 너무 난해한 데다가 문맥을 잡기가 너무 어려워 출판 후 몇 십 년 동안 책이 몇 부 팔리지도 못했고, 그의 존재감은 희미했었다고 한다. 철저하게 외면당했던 〈의지와 표상으로서의 세계〉와 달리 대중들도 이해할 수 있게 집필된 이 책의 출간 이후 그의 철학에 대한 추종자들이 생겨나기 시작했고, 점점 유럽을 넘어 세상 사람들에게 알려져 세계적으로 명성을 얻기 시작했다. 특히 쇼펜하우어는 젊은 독자들을 염두에 두고 이 책을 집필했다고 한다. 이 책이 출간된 이후 독일어권에서 쇼펜하우어의 문장은 최고급 산문이자 탁월한 문학적 글쓰기로 평가받기에 이르렀다.

다만 그럼에도 불구하고 여전히 현대의 독자들에게는 〈소품과 부록〉 완역본을 그대로 읽는다는 것이 결코 쉽지 않다. 첫 저서에 비하면 대중적으로 쓰이긴 했지만 역시나 철학책이라 여전히 잘 안 읽히고 어려워 완독이 쉽지 않기 때문이다. 이에 이 편역본에서는 현대 독자들의 이해를 돕고자 원서의 품격을 해치지 않으면서도 현대적 감각에 맞게 핵심 내용만을 뽑아내 칼럼 제목을 새로 일일이 달았음을 밝힌다.

누구보다 냉철하고 그 누구보다 현대적인!

독일 고전을 읽는 것은 독서에 익숙한 사람이라 할지라도 문득문득 곤혹스러울 때가 많을 것이다. 아무리 읽어도 그것이 뜻하는 바를 이해하기가 쉽지 않을 때가 많기 때문에 책장을 한 장 한 장 넘기는 일 자체가 고역일 때도 분명히 있다고 생각한다.

쇼펜하우어의 저서도 분명 그러한 고전 중 하나로 꼽히지만 그의 책은 조금 다르다. 문장을 길고 길게 늘어뜨리고 비유에 비유를 거듭해 원뜻을 파악하느라 애를 먹었던 다른 작가들에 비하면 그의 문장은 간결하고 명확하다. 그는 자신이 하고자 하는 말을 정확하게 표현하고 비유와 은유를 가져올지라도 어디서 그런 구절을 보았고 읽었는지를 분명히 남겼다.

그는 밝은 영혼과 사람의 행동만이 가장 가치 있는 것이라 여겼다. 하지만 그런 만큼 인간을 불신하고 인간성의 추악함을 날카롭게 지적했다.

그리고 당시로서는 혁신적 개념이었던 인간의 '의지'에 내포된 힘을 믿으면서도, 동시에 그 의지가 얼마나 나약하고 상황에 따라 변하는지도 알고 있었다. 모든 것을 신의 뜻이나 섭리로 보았던 당시에 그의 이러한 개념은 훗날 심리학에도 지대한 영향을 끼치게 된다.

보통의 고전이나 옛 소설을 옮길 때는 당시의 시대적 배경과 역사적 사실을 가장 염두에 두고 그 표현과 의미의 원뜻을 훼손하지 않으려는 노력을 했지만 이번에는 그럴 필요가 없었다. 일견 냉소적이라 불리는 그의 말과 생각은 바로 우리 현대인들도 깊이 공감할 만한 이야기가 많았기 때문이다. 특히 그가 책을 좀 읽었다고, 제목과 작가들만 안다고 책을 읽었다고 생각하는 것은 멍청한 짓이라고 일갈할 때는, 그리고 인간의 의지가 얼마나 나약하고 어리석은데 그것만 믿는다면 나태해질 것이라고 일갈할 때는 뜨끔하기까지 했다.

세상과 주변에 지치는 현대인이 있다면, 쇼펜하우어의 애정 어리고도 냉소적인 말들에 귀 기울여보길 추천한다.

차례

1부

행복론_ 삶의 지혜를 위한 아포리즘

1장 인간의 행복에 영향을 주는 것들에 대하여

4장 인간이 남에게 드러내 보이는 것에 대하여

5장 우리 자신에 대한 우리의 태도에 대하여

7장 나이가 든다는 것에 대하여

2부

인생론_온전한 삶을 위한 아포리즘

1장 죽음에 의해 소멸하지 않는다는 것에 대하여

2장 생존의 허망함에 대하여

3장 세상의 고뇌에 대하여

4장 박식함과 학자에 대하여

5장 독자적 사고에 대하여

6장 독서와 책에 대하여

7장 교육에 대하여

8장 인생의 본질을 들려주는 비유와 우화

Schopenhauer

1부

행복론

_ 삶의 지혜를 위한 아포리즘

행복론을 시작하며

나는 이곳에서 인생의 지혜를 내재적인 개념, 즉 인생을 가능한 한 즐겁고 행복하게 사는 일종의 기술로 받아들이며, 이것은 또한 행복론에 대한 하나의 지침서라고 명명할 수도 있을 것이다. 따라서 이것은 행복한 존재의 안내서라 할 수 있겠다.

이러한 시각은 그러니까 다시 온전히 객관적으로 바라보거나 훨씬 더 냉정하게(지금 이러한 주제에는 주관적 판단이 중요하기 때문에), 그리고 성숙하게 고찰해보면 이것이 존재하지 않는 것보다 우월하다고 할 수 있을 것이다. 이러한 개념에서 보면 우리 스스로는 단지 죽음에 대한 두려움 때문이 아니라 그 자체를 끊임없이 추구하고 있는 것이라는 결론이 나오며, 또한 그렇기에 우리는 그것이 영원히 계속되기를 바라는 것이다.

인간의 삶이 이러한 존재의 개념에 들어맞는 것인지 혹은 과연 들어맞을 수 있을 것인지에 대한 질문을 내게 한다면, 이에 대한 나의 철학적 관점은 잘 알려져 있다시피 부정적이다. 그 반면에 행복론은 긍정적인 결론을 전제로 하고 있다. 이것은 사실 오류를 내재하고 있는 것에 근거하는 것으로, 그럼에도 불구하고 이러한 문제 해결을 가능하게 하기 위해서 나는 나의 철학이 궁극적으로 가고자 하는 높은 형이상학적이고 윤리적인 관점을 포기해야만 했다.

따라서 여기에서 다루는 논의 전체는 일반적이고 경험적인 관점에 머무르고 있으며, 어느 정도 이러한 오류를 수용하는 것을 토대로 한다. 그렇기에 행복론이라는 단어 자체가 하나의 완곡한 표현에 불과하므로 그 가치도 제한적일 수밖에 없다. 여기서 더 나아가보면 마찬가지로 완벽함을 요구할 수도 없다. 이 주제는 끝날 수 없는 데다가 어떤 면에서는 이미 다른 사람들이 말한 것을 내가 다시 반복해야만 하기 때문이다.

Schopenhauer

1장

인간의 행복에 영향을 주는 것들에 대하여

인간의 운명을 가르는 세 가지 인생 자산

아리스토텔레스는 그의 저서(《니코마코스 윤리학》)에서 인간 생활의 자산을 세 등급으로 나누었는데 외적인 것, 영적인 것, 육체적인 것이다. 여기서 나는 3이라는 숫자만을 가져와, 인간의 운명을 가르는 결정적인 차이는 세 가지 기본 인생 자산에 기인한 것임을 이야기하고자 한다. 그것은 다음과 같다.

첫 번째 범주는 '인간을 이루는 것'이다. 즉 가장 넓은 의미에서의 인격을 의미한다. 여기에는 건강, 힘, 아름다움, 기질, 도덕성, 예지와 그 함양이 포함된다.

두 번째 범주는 '인간이 지니고 있는 것'이다. 즉 일반적인 의미에서의 재산과 소유물을 의미한다.

세 번째 범주는 '인간이 남에게 드러내 보이는 것'이다. 즉 남의 눈에 비친 자신의 모습, 즉 남에게 어떤 인상을 주는가 하는 것이다. 따라서 남의 견해를 말하는 그것은 명예, 지위, 명성으로 나누어진다.

인생에서 가장 중요한 것은 그의 내면에 존재하는 것이다

앞에서 소개한 인생 자산의 첫 번째 범주인 '인간을 이루는 것'에서 고려해야 할 점은 '자연 스스로가 인간들 사이에 어떠한 차이를 만들었는가?' 하는 것이다. 이 사실에서 볼 때 자연이 인간의 행복이나 불행에 미치는 영향은 단순히 인간들이 결정한 것에 지나지 않은 나머지 두 범주에서 규정한 차이점에서 나타날 수 있는 영향에 비해 훨씬 더 본질적이고 더 결정적인 것이라는 사실을 짐작할 수 있다. 고매한 정신이나 혹은 훌륭한 심성 같은 진정한 성격의 장점을 계급이나 출신과, 즉 왕족이거나 어마어마한 부를 가진 것 등과 비교하는 것은 마치 왕인 척 연기하는 사람과 실제의 왕과의 관계와도 같은 것이다. 에피쿠로스의 첫 수제자였던 메트로도로스는 예전에 이미 다음과 같은 구절을 썼다. “우리 내부에 있는 행복의 원인이 사물에서 유래하는 행복의 원인보다 더 크다.” (클레멘스 알렉산드리아누스, 〈스트로마타〉 2권 21장)

그리고 인간의 행복, 말하자면 자신의 존재를 통틀어 중요한 것은 분명히 그의 내면에 존재하거나 생겨나는 것임이 확실하다. 즉 바로 그곳에 무엇보다 인간의 느낌과 의지, 그리고 생각의 결과인 내면의 편안함 또는 불편함이 분명히 자리 잡고 있다. 즉 외부의 상황 자체는 그저 그러한 감정에 간접적인 영향을 미치는 것에 불과한 것이다.

그러므로 외부의 상황이나 사정이 똑같다고 하더라도 개개인에게는 완전히 다른 영향을 미치는 것이며, 동일한 환경에 살아가는 개개인들은 각각 다른 세계를 살고 있다. 사람은 자신만의 생각, 감정 그리고 의지를 가지며 단지 그러한 것에만 직접적으로 반응하기 때문이다. 외부의 것들은 그저 그러한 것들의 원인이 되는 경우에 한해서만 그들에게 영향을 미친다.

우리 개개인은 오직 자신의 의식 안에서만 살아간다

개개인이 살아가는 세상은 각각의 관점이 어떠한가에 달려 있어서 생각의 차이에 따른 영향을 받는다. 이 때문에 세상은 빈곤하고 진부하고 하찮은 곳이거나 혹은 풍요롭고 재미있으며 또 값진 곳이기도 한 것이다.

예를 들자면 어떤 사람들은 남의 인생에 일어난 어떤 흥미진진한 사건을 부러워하기도 하지만, 사실 그는 그러한 사건들에 중요성을 부여한 사람들의 이해력과 그들이 가진 표현력을 부러워해야만 하는 것이다. 같은 일이라고 하더라도 재기가 넘치는 머리는 그것을 너무나도 흥미진진하게 표현할 것이지만, 반면에 아둔하고 평범하기 짝이 없는 머리는 그것을 그저 일상 세계에서 일어난 하나의 진부한 장면으로 여길 것이기 때문이다.

마찬가지로 다혈질인 사람에게는 그저 하나의 흥미로운 갈등 정도인 것이 우울한 성격의 사람에게는 슬픈 일로, 그리고 무덤덤한 사람에게는 그저 의미 없는 일로 여겨질 것이다.

이 모든 것은 각각의 현실, 그러니까 말하자면 물이 필수 불가결하고 아주 밀접하게 연결된 산소와 수소로 이루어진 것처럼 온전한 현실은 주관과 객관이라는 두 부분으로 구성되어 있다는 점에 그 원인이 있다. 절반의 객관은 완전히 동일하지만 주관이 다르거나, 아니면 정반대의 경우라면 현재의 현실은 완전히 달라질 수 있다. 절반의 객관이 가장 아름답고도 훌륭하지만 나머지 절반의 주관이 너무 답답하고 힘들다면 그저 끔찍한 현실만이 존재하는 것이다. 이는 마치 아무리 아름다운 경치더라도 촬영 당일의 날씨가 엉망진창이거나, 성능이 나쁜 카메라 렌즈로 촬영하는 것과 같다.

이를 더 정확하게 표현한다면, 개개인은 마치 자신의 피부 같은 스스로의 의식 속에 들어가 있고, 오직 그 안에서만 살아가는 것이다. 그러므로 외부에서 그를 도울 방법은 별로 없는 것이다.

내 의식의 수준이
그 무엇보다 가장 중요하다

무대 위에서 한 명은 군주를 연기하고, 다른 한 사람은 재상 혹은 제후를 연기하고, 세 번째 사람은 시종 혹은 병사나 장군의 역할을 하지만 이러한 차이는 단지 외부의 것에 불과하다. 핵심적인 그 내면은 전부 똑같이 고통과 궁핍에 시달리는 가여운 희극 배우인 것이다.

인생도 바로 이것과 마찬가지이다. 사회적 지위와 부유함의 차이는 그 사람에게 자신의 역할을 하도록 해주지만, 그와는 별개로 행복과 만족감의 내적인 차이가 그것과 들어맞는 것은 아니다. 그와 마찬가지로 모든 사람의 내면에는 똑같이 자신의 고통과 궁핍에 시달리는 불쌍한 사람이 있는 것이다. 그 고통과 궁핍은 사람에 따라 물질적으로 차이는 있지만, 본질적인 면에서 그 형태는 사실 모두가 놀라울 정도로 동일하다. 물론 정도의 차이가 있기는 하지만 그것이 사회적 지위와 부, 즉 역할의 차이와 같은 것은 아니다. 인간을 위해 존재하고, 인간에게 일어나는 그 모든 것들은 오로지 인간의 의식 안에서 존재하고 만들어지는 것이기 때문이다.

그렇기 때문에 내 의식의 수준이 무엇보다 가장 중요한 것이며, 나아가 더 본질적으로는 대개 그 형태보다는 그 속에 들어있는 성질이 더욱 중요한 것이다. 그 어떠한 사치와 향락이라도 멍청한 이의 아둔한 의식 속이라면, 힘든 감옥 안에서도 〈돈키호테〉를 썼던 세르반테스의 의식에 비하면 빈곤하다.

행복의 범위는 미리 정해진 그의 본성에 의해 결정된다

현재와 현실이라는 절반의 객관적인 부분은 운명의 손아귀에 있는 것이고, 그렇기에 바뀔 수 있는 것이다. 하지만 나머지 주관적인 부분은 바로 우리 자신이기 때문에 본질적으로 바뀌지 않는다.

따라서 모든 인간의 인생은 그 어떠한 외적인 변화에도 불구하고 같은 특성을 지니고 있으며, 그것은 하나의 주제에 대한 일종의 변주라고 할 수 있다. 그 어느 누구라 할지라도 자신의 개인적 특성에서 벗어날 수 없다.

모든 생명체는 그 어떠한 조건 아래에서도 자연이 정해놓은 좁은 범위 안에서만 머무르도록 되어 있어 자신의 본성을 거스르지 못한다. 예를 들어 아끼는 존재를 행복하게 해주려는 우리의 굳은 결심조차 우리 본성과 인식의 한계 안에 머물러 있기 때문에 늘 좁은 범위 안에서만 이루어지는 것이다.

이것은 인간에 대해서도 마찬가지이다. 그가 가질 수 있는 가능한 행복의 범위는 미리 정해진 그의 개인적 특성에 의해 정해진다.

한 사람의 정신적 능력의 한계는 그가 고상한 즐거움을 누리는 능력 전체를 한정시킨다. 그의 정신적 능력의 한계가 좁다면, 그의 행복을 위한 외부의 그 어떠한 노력에도 불구하고, 그는 평범하고 절반은 동물적인 행복과 안락함 이상을 넘어서지는 못한다. 그저 관능적인 쾌락, 밝고 즐거운 가정, 수준 낮은 친교와 저속하기 그지없는 즐거움에만 몰두하게 되는 것이다.

심지어 교육이 이러한 한계에 할 수 있는 것이 있다 하더라도 그 한계를 넓히는 데는 그다지 큰 역할을 하지 못한다. 젊은 시절 우리들은 이것에 대해 자신을 기만하기도 했지만, 가장 수준 높고 다양하며 영원한 즐거움은 바로 영적인 즐거움이기 때문이다. 바로 여기에서 우리의 행복이 얼마나 우리 자신에게, 그리고 우리의 개인적 특성에 좌우되는지가 분명해지는 것이다.

내면이 풍요롭다면 운명에 많은 요구를 하지 않을 것이다

안타깝게도 사람들은 대체로 우리의 운명, 혹은 우리가 가지고 있는 것이나 아니면 다른 사람들에게 보여지는 것만을 생각한다. 그러나 운명은 나아질 수 있으며, 내면이 풍요롭다면 우리는 우리의 운명에 그다지 많은 요구를 하지 않을 것이다. 그런데도 어리석은 자는 그저 어리석은 자에 머물 뿐이며, 아둔한 자는 천국에서 미녀들에게 둘러싸여 있더라도 마지막 순간까지 아둔한 인간일 뿐이다.

그렇기에 괴테는 이렇게 말한다. "백성과 노예와 지배자, 그들은 고백한다. 늘 언제나 연약한 인간의 가장 큰 행복은 그저 인간의 성격일 뿐이라고." (《서동시집》)

사회적 지위나 부유함으로도 대신할 수 없는 내 안의 장점들

우리의 행복과 우리의 즐거움에는 주관적인 면이 객관적인 것보다 근본적으로 비교할 수 없을 정도로 더 중요하다. 그것은 배고픔이 가장 훌륭한 요리사이며, 노인이 젊은이의 여인을 무심한 시선으로 바라보는 데서부터, 천재나 성자의 인생까지에서 모든 면에서 나타난다.

무엇보다 "건강한 거지가 병든 왕보다 행복하다"고 할 정도로 건강은 그 어떤 외적인 재산보다 월등하게 중요하다. 완벽한 건강과 행복한 조화에서 만들어지는 차분하고 밝은 성품, 맑음, 생기 넘침, 통찰력과 올바른 분별력, 조화롭고 부드러운 의지와 거기에 따르는 선한 양심 등 이러한 것들은 사회적 지위나 부유함으로도 대신할 수 없는 장점들이다. 자신을 위한 것이자 혼자 있을 때도 늘 그를 따라다니는 것, 그리고 그 어떤 누구에게도 주거나 받을 수 없는 것들이야말로 명백하게도 그가 소유한 다른 모든 것이나 다른 사람들의 눈에 보이는 것보다 훨씬 본질적으로 중요한 것이기 때문이다.

온전한 고독 속에 있더라도 자기 생각에서 즐거움을 얻자

영적인 사람은 온전한 고독 속에 있더라도 자기 생각과 상상에서 즐거움을 얻을 수 있다. 하지만 아둔한 사람은 영원히 사교모임, 연극, 나들이나 오락거리를 바꾸더라도 고통스러운 지루함을 피할 수 없다. 선하고 조화로우며 부드러운 성격은 어려운 상황에서도 만족할 수 있지만 탐욕스럽고, 시기심이 강하고, 이기적이고, 사악한 사람은 아무리 부유하더라도 만족하지 못한다. 그렇기에 영적이고 정신적으로 훌륭한 인격을 가진 이들에게 보통의 사람들이 추구하는 오락거리 대부분은 불필요한 것이자, 그저 성가시고 거추장스러운 것일 뿐이다.

따라서 호라티우스는 스스로에 대해 이렇게 말한다. "상아와 대리석, 장신구와 티레니아의 조각상, 그림 작품들은 게틀로

(Gaetuli는 북아프리카 지역의 라틴어 표기로, 이 지역에서 나는 뿔고동을 이용해 보라색으로 귀한 옷감을 염색했기에 당시 높은 지위와 부를 상징했음-옮긴이)산 뿔고동으로 염색한 옷감, 그런 것을 가지고 싶어 하는 이도 많지만, 때로는 원하지 않는 사람도 있다."

그리고 소크라테스는 팔기 위해 전시해놓은 사치품들을 보며 "내게 필요 없는 것이 대체 얼마나 많은 것인가" 하고 말했다.

행복의 가장 첫 번째 가치는 우리 그 자체인 인격이다

우리 인생의 행복에 가장 우선적이면서도 본질적인 것은 바로 우리 그 자체인 인격이다. 인격은 어떤 상황에서도 지속되고 영향을 미치기 때문이다.

게다가 첫 번째 자산인 인격은 다른 두 가지 범주의 자산과는 다른 영역에 속해 있는 것이기 때문에 운명에 묶여 있지도 않고, 우리에게서 그것을 빼앗을 수도 없다. 그것의 가치는 절대적인 것으로, 반대로 다른 두 가지 범주의 가치는 그저 상대적인 가치를 지닌 것이다.

이런 점에서 보면 우리가 보통 생각했던 것과는 다르게 인간이 외부의 영향을 받는 것은 훨씬 적다. 오직 전지전능한 시간만이 여기에서 자신의 권리를 휘두르고, 어떠한 육체적·정신적 장점도 결국 점차 시간에 굴복하게 된다. 하지만 도덕적 성격만은 시간의 힘에서 벗어난다.

이런 점에서 마지막 두 가지 범주의 자산은 시간이 직접 빼앗을 수 없기 때문에 첫 번째 범주의 자산보다는 유리할 것이다. 또 다른 장점은 다른 두 가지 범주의 자산은 객관적인 성격을 가지고 있어 그것을 얻을 가능성이 있고, 적어도 어느 누구라도 그것을 가질 가능성이 있다. 반면에 주관적인 것은 우리 인간의 힘으로 얻을 수 있는 것이 아닐뿐더러 신의 영역에 속하는 것이기 때문에 평생 변하지 않는 것이다.

이러한 내용을 정확하게 담은 괴테의 이야기가 있다. "네가 이 세상에 태어난 바로 그날처럼, 태양은 행성을 맞이하기 위해 떠 있었고, 너는 그날부터 무럭무럭 자라났지. 네가 태어났을 때의 규칙에 따라서. 그게 네가 따라야 하는 규칙이고, 너는 벗어날 수 없어. 모든 예언자가 그렇게 예언했단다. 살아가며 발전해나가는 특별한 형태는 그 어떤 시간도, 그 어떤 힘도 자를 수 없다고."

우리에게 주어진 인격을 가능한 한 유리하게 이용하자

우리가 할 수 있는 유일한 일은 우리에게 주어진 인격을 가능한 한 유리하게 이용하는 것이다. 그렇기에 이러한 인격에 맞는 것에 힘을 쏟고, 개성에 적합한 수준의 교육을 하기 위해 노력하고 맞지 않는 것은 피해야 하며, 거기에 맞는 위치와 직업, 생활 방식을 선택해야 한다.

헤라클레스와도 같은 특별한 근력을 타고난 사람이 외부의 상황 때문에 사무직을 하거나, 세밀하고 섬세한 수공업에 종사하거나, 그가 가진 능력과는 완전히 다른 방식인 연구직이나 머리를 쓰는 일을 한다면, 결국 그는 자신의 뛰어난 능력을 발휘할 수 없을 것이고 그것은 그를 평생 불행하다고 느끼게 만들 것이다. 그와 마찬가지로 뛰어난 지적 능력을 갖춘 사람이 그러한 능력이 필요하지 않은 일반적인 일을 하거나 자신의 능력이 미치지 못하는 육체노동을 하느라 자신의 능력을 발전시키고 이용하지 못하면 그도 불행하다고 느낄 것이다. 특히 이러한 경우 무엇보다 젊은 시절에 자신이 가지지 않은 힘을 지나치게 맹신하는 억측의 함정에 빠지지 않아야 한다.

부를 얻으려 노력하기보다는 건강을 유지하고 능력을 키워라

우리의 첫 번째 범주에 속한 것이 다른 두 가지 범주보다 훨씬 더 중요하다는 점을 토대로 생각해보면, 부를 얻으려 노력하는 것보다 건강을 유지하고 능력을 키우기 위해 학업에 힘을 기울이는 편이 훨씬 현명하다.

그러나 그렇다고 해서 이것이 우리 삶에 필요하고 적절한 것을 얻는 데 소홀히 해도 된다고 잘못 이해해서는 안 된다. 하지만 넘쳐날 정도의 큰 재산은 우리의 행복에 큰 도움이 되지 않는다. 그래서 많은 부자들이 불행하다고 느낀다. 그들은 진정한 정신적 수련을 받은 적도 없고 거기에 대한 지식도 없기 때문에 정신적인 일을 가능하게 하는 객관적 흥미를 느끼지 못하기 때문이다.

현실적이고 자연적인 필요 이상의 부는 사실 우리의 만족감에 아주 미미한 영향만을 줄 뿐이다. 오히려 너무 많은 재산을 유지하느라 필수적으로 따르는 근심을 불러와 행복에 방해를 받는다.

사람을 이루고 있는 것과 사람이 소유하고 있는 것의 차이

사람들은 지적인 능력을 키우는 것보다 부를 얻기 위해 수천 수백 배의 노력을 하지만, 인생 자산의 첫 번째 범주인 '사람을 이루고 있는 것'이 두 번째 범주인 '사람이 소유하고 있는 것'보다 행복에 훨씬 더 큰 영향을 준다. 그러나 우리는 사람들이 이미 가지고 있는 부를 더 늘리기 위해 마치 개미처럼 아침부터 밤까지 쉬지 않고 열심히 일하는 모습을 보곤 한다.

그들은 아무것도 알지 못하며, 그들의 영혼은 텅 비어 있어 다른 어떠한 것도 느끼지 못한다. 가장 수준 높은 정신적인 기쁨은 그들에게 다가갈 수 없는 것이다. 그저 시간이 많이 들지 않지만 많은 돈이 드는 순간적이고 감각적인 기쁨을 가끔 누리고자 하는 헛된 노력을 하는 것이다.

결국 인생의 마지막 순간이 왔을 때, 설령 그가 운이 좋아서 실제로 큰 부를 이루게 되더라도, 그 부는 그것을 더 늘릴 수도 혹은 다 탕진해버릴 수도 있는 상속인에게 넘어가게 된다. 그러한 사람은 아무리 진지하고 의미 있는 표정을 짓는다고 하더라도 방울이 달린 모자를 쓴 사람의 인생만큼이나 어리석은 것이다.

스스로 가지고 있는 것이 행복의 가장 본질적인 요소다

스스로 가지고 있는 것이 한 사람의 행복에 있어서 가장 본질적인 것이다. 이것이 대부분 아주 적기 때문에 빈곤과의 싸움에서 이긴 사람 대부분이 여전히 빈곤한 사람들과 마찬가지로 불행하다고 느끼는 것이다.

내면의 공허와 무미건조한 의식, 빈곤한 정신은 그들을 자신들과 같은 무리와 어울리게 만든다. 비슷한 사람들끼리 어울리고 싶어 하는 것이다. 그리고 함께 유흥과 오락거리를 찾아다니는데, 처음에는 감각적 쾌락을 좇다가 점점 그 종류가 다양해지고 종국에는 방탕해진다.

부잣집 아들로 태어난 사람 중 어떤 이들은 막대한 재산을 믿을 수 없을 정도의 짧은 시간에 낭비해버리는 경우가 있다.

그것은 바로 정신적인 빈곤과 공허에서 파생된 지루함이 그 원인이다.

그러한 젊은이는 겉으로 보기에는 부자지만 그 내면은 가난한 채로 세상으로 나아가고, 모든 것을 외부에서 받아들여 외적인 부로 내적인 것을 채우려 하지만 이는 소용없는 일이다. 이것은 꼭 젊은 소녀의 정기를 받아 더 강해지려고 하는 것과 같은 것으로, 결국 내면의 빈곤함이 외적인 빈곤함을 초래하는 것이다.

재산과 평판은 서로 영향을 주고 돕는 관계다

인간의 인생 자산에서 내가 첫 번째 범주 외의 다른 두 가지 범주의 중요성을 강조할 필요는 없을 것이다. 오늘날 재산은 너무나 보편적인 가치로 인정받고 있으므로 굳이 추천할 필요가 없기 때문이다. 두 번째 범주의 것과 다르게 세 번째 범주의 것은 다른 사람의 의견으로만 이루어진다는 점에서 아주 큰 휘발성의 특징을 가진다.

누구나 명예를, 즉 좋은 명성을 얻기 위해 노력하지만 국가를 위해 봉사하는 사람만이 사회적 지위를 얻는다. 명성을 얻는 이는 아주 극소수에 불과하다. 명예는 그 가치를 매길 수 없는 귀중한 자산으로 여겨지는 한편, 명성은 인간이 얻을 수 있는 가장 가치 있는 것으로서 선택된 사람만이 얻을 수 있는 황금 양털(그리스 신화에 등장하는 영웅 이아손이 왕의 명령으로 빼앗아온 보물로 '아주 귀중한 것'을 의미함. 신화에는 황금으로 된 양털로 표현되어 있으며 왕의 권력을 의미하기도 함-옮긴이)인 것이다.

두 번째와 세 번째 범주의 것은 말하자면 서로 영향을 주고 돕는 상호관계에 있다. 로마 시대의 작가 페트로니우스가 "재산을 많이 가질수록 평판이 좋아진다"라고 말한 것은 맞는 말이지만, 다른 이들에게서 얻은 좋은 평판도 어떤 형태로든 재산을 얻을 수 있게 도와준다.

2장

인간을 이루는 것에 대하여

인격 외의 모든 다른 것들은 행복과 만족에 간접적일 뿐이다

어느 한 사람이 스스로 가지고 있는 것(첫 번째 범주의 자산), 즉 개성과 그 가치는 그의 행복과 만족에 유일한 직접적인 것이다. 모든 다른 것들은 간접적일 뿐이다. 따라서 다른 것들의 영향은 실패할 수 있지만 인격의 영향은 절대 그럴 수 없다. 그렇기에 인격에 대한 질투는 가장 조심스럽게 감추어지지만 또 그만큼 가장 무시무시하기도 한 것이다.

더군다나 의식의 성격은 영원히 변하지 않고, 또한 개개인의 성격 역시 시기에 따라 많거나 적음의 차이는 있지만 늘 지속적이고 영구적으로 영향을 준다. 하지만 다른 모든 것들은 그저 때에 따라 일시적으로 작용할 뿐이며, 세상의 변화에 속절없이 바뀌어간다. 그래서 아리스토텔레스는 "자연은 믿을 수 있으나

돈은 그렇지 않다"(《에우데모스 윤리학》 7권 2장)라고 말했다. 우리가 외부에서 온 불행을 우리 자신의 잘못으로 인한 것보다 훨씬 더 차분하게 견디는 것은 바로 이러한 이유 때문이다.

운명은 바뀔 수 있지만 우리의 본질은 절대 변하지 않는다. 그런 이유로 고상한 성격, 뛰어난 지능, 낙천적인 성격과 밝은 영혼, 조화롭고 건강한 신체 같은 주관적인 자산, 말하자면 '건강한 신체에 건강한 정신이'(유베날리스. 〈풍자시〉 10편, 356) 우리의 행복에서 가장 우선적이고 무엇보다 중요한 것이다.

이 모든 것 중에서 우리를 가장 직접적으로 행복하게 만들어 주는 것은 '밝은 영혼'이다. 이러한 좋은 특성은 곧바로 보답을 받기 때문이다.

그가 행복한지 알고 싶다면
그가 밝은 사람인지를 보면 된다

행복한 사람은 늘 거기에 맞는 이유가 있다. 말하자면, 그 이유는 바로 그 자신인 것이다. 이러한 특징은 다른 모든 자산을 대신할 만한 것일 뿐 아니라 그 어떤 다른 것으로도 대체할 수 없다. 젊고, 아름답고, 부유하고, 사회적 명성도 가지고 있는 사람이 있을 때 그가 행복한지 알고 싶다면 그가 밝은 사람인지를 보면 된다. 만약 밝고 쾌활하다면, 그가 젊거나 혹은 늙었거나, 꼿꼿하거나 혹은 곱사등이거나, 가난하거나 혹은 부자이거나에 전혀 상관없이 그는 행복하다.

예전 젊은 시절에 나는 오래된 책에서 이런 글귀를 본 적이 있다. "많이 웃는 사람은 행복하고, 많이 우는 사람은 불행하다." 너무나 단순한 말이지만, 나는 그 단순한 진리 때문에 그

문구를 잊을 수 없었다. 비록 너무나 상투적이라 해도 말이다.

그래서 우리는 밝음이 들어올 때면 언제나 대문을 활짝 열어젖혀야만 하는 것이다. 밝음은 결코 때를 잘못 맞추는 법이 없다. 우리는 모든 면에서 만족할 이유가 있는지를 먼저 알려 하기 때문에, 혹은 우리의 진지한 고민과 무거운 걱정에 방해가 될까 봐 두려워하기 때문에 명랑함을 받아들이는 것을 자주 주저한다. 그러나 고민과 걱정을 통해 상황을 나아지게 하는 것은 매우 불확실하지만 밝음은 직접적인 도움이 된다.

밝음만이 행복의 진짜 동전이다. 다른 모든 것들은 그저 어음에 불과할 뿐이다. 밝음만이 현재의 행복에 직접적인 것이고, 그렇기에 두 개로 나뉜 무한한 시간 사이에서 불가분의 현재라는 형태를 가진 이들에게는 가장 최고의 자산인 것이다. 따라서 우리는 그 어떠한 재산을 가지려 하기보다는 이러한 자산을 얻는 것을 가장 최우선으로 노력해야 한다.

밝음이 활짝 꽃피려면 건강과 움직임이 필수다

밝은 정신에 영향을 주는 것이 물질적인 부보다 건강이라는 점은 이제 명백한 사실이다. 낮은 계층의 사람들, 노동자들, 특히 농사를 짓는 계층의 사람들은 밝고 만족스러운 표정의 얼굴을 하고 있지만 부자들과 지위가 높은 사람들은 집에서 딱딱한 얼굴을 하고 있다. 그렇기에 우리는 무엇보다 이러한 밝음이 활짝 꽃 필 수 있는 높은 수준의 완벽한 건강을 유지하기 위해 노력해야 한다.

이를 위해서는 이미 알려져 있듯이 그 어떤 무절제와 방탕함, 격렬하고 불편한 감정, 너무 혹독하거나 장기간에 걸친 정신적인 긴장 역시 피해야 한다. 매일 야외에서 두 시간씩 탁 트인 공기를 마시며 활발한 활동을 해야 하고, 자주 냉수욕과 식이 관리를 해야 한다.

매일 적절한 운동을 하지 않으면 건강을 유지할 수 없다. 인체의 모든 과정이 제대로 잘 이루어지기 위해서는 그 과정이 일어나는 부분의 운동뿐 아니라 인체 전체의 운동도 필요하기 때문이다. 그런 점에서 아리스토텔레스가 한 말은 아주 옳다. "움직이는 것에 인생이 있다."

생명은 움직임으로 구성되어 있고, 바로 그 안에 본질이 존재한다. 유기체 내부는 전체에 걸쳐 끊이지 않고 격렬한 움직임을 하고 있다. 심장은 수축과 확장의 복잡한 이중 운동을 하는데, 활발하고 지치지 않은 움직임으로 스물여덟 번의 박동을 해 몸 전체의 혈액을 크고 작은 혈관으로 돌게 한다. 폐는 증기기관처럼 쉬지 않고 펌프질을 하며, 장은 늘 연동운동으로 꿈틀거리고 있다. 모든 땀샘은 흡수와 분비를 지속하고, 뇌 스스로도 모든 맥박과 호흡마다 이중 운동을 하고 있다.

늘 앉아 있는 생활방식을 가진 무수히 많은 사람들처럼 외부 활동이 부족한 경우에는 외적인 안정과 내적인 혼돈 사이에서 극심하고 해를 끼치는 부조화가 생겨난다. 이것은 끊임없는 내부의 움직임조차 외부 움직임의 지원을 받기를 원하는 것이기 때문이다.

이러한 부조화는 우리 내부에서 끓고 있는 것을 밖으로 드러내지 못할 때 생기는 것과 아주 비슷하다. 나무조차도 건강하게 자라려면 바람을 통한 움직임이 필요하다. 이러한 경우에 아주 딱 들어맞는 라틴어 격언이 있다. "운동은 빠를수록 더 운동다운 것이다."

사람을 불행하게 하는 것은 사물에 대한 우리의 생각이다

우리의 행복은 밝은 성격의 영향을 크게 받는다. 또 이것이 건강 상태와 얼마나 큰 관련이 있는지는, 같은 외부의 사정이나 사건이라 할지라도 우리 몸이 건강하고 활기 넘치는 때에 겪는 것과 병에 걸려 불안하고 짜증스러울 때 겪는 감정을 비교해보면 잘 알 수 있다.

우리를 행복하게 만들거나 불행하게 만드는 것은 사물의 객관적이고 실제의 모습이 아니라 그 대상에 대한 우리의 생각인 것이고, 바로 그것이 우리를 행복하게 하거나 혹은 불행하게 하는 것이다. 이것이 바로 에펙테토스가 말하는 것이다. “사람을 불행하게 하는 것은 사물이 아니라 사물에 대한 우리의 생각이다.”

건강이 있어야만
그 뒤에 다른 모든 것들이 있다

일반적으로 우리 행복의 90퍼센트는 건강에 좌우된다. 건강은 모든 것을 즐기는 원천이며, 건강이 없으면 그 어떠한 종류의 외적인 자산도 즐길 수 없게 된다. 심지어 다른 주관적·정신적 자산, 감정과 기질 같은 것조차 질병으로 약해지고 위축되고 만다. 그렇기에 그 무엇보다 사람들이 서로의 건강 상태를 묻고 건강하기를 바라는 것은 의미 없는 행동이 아니다. 실질적으로 건강이 인간의 행복에서 가장 중요하기 때문이다.

이러한 사실로 미루어볼 때 가장 어리석은 짓은 일이나 출세, 학업, 명예 혹은 그 무엇인가를 위해 자신의 건강을 희생하는 것이다. 육체적 쾌락이나 순간적인 기쁨을 위해서라면 더더욱 그러하다. 건강이 있어야만 그 뒤에 다른 모든 것들이 있다.

열에 하나라도 성공한다면 몹시 기뻐하고 스스로 격려하자

어떤 사건의 결과가 좋을 것인지 혹은 아주 나쁠 것인지의 가능성이 똑같다고 할 때, 우울한 사람은 불행한 결과에 화를 내고 슬퍼하면서 행복한 결과에도 기뻐하지 않는다. 하지만 밝은 사람은 불행한 일에 대해서 화를 내거나 슬퍼하지 않으며, 행복한 일을 만나면 몹시 기뻐한다.

우울한 사람은 열 가지의 일 중 아홉 가지를 성공하더라도 이 성공을 기뻐하지 않고 실패한 한 가지 일에 대해 화를 낸다. 반면에 밝은 사람은 성공한 한 가지 일에 기뻐하며, 실패한 나머지 아홉 가지 일에 대해서도 스스로 위로하고 격려하는 방법을 알고 있다.

기쁨의 근원을 내부에서 찾아야
더욱더 행복한 존재가 된다

가장 좋고 가장 바람직한 것은 각자가 자신을 위해 존재하고 또 그것을 가능하게 하는 것이다. 그러한 사람들이 더 많을수록, 그래서 그 결과로 기쁨의 근원을 자신의 내부에서 찾을수록 더욱더 행복한 존재가 될 것이다.

그렇기에 아리스토텔레스는 이런 명언을 남겼다. "행복은 스스로 만족하는 사람의 것이다." (〈에우데모스의 윤리학〉 7권 2장)

자신의 내면에 많은 것을 가지고 있는 사람이 되자

행복과 기쁨의 외적인 근원은 본질적으로 너무나 불안정하고 일시적인 데다 우연에 달려 있기 때문에 아무리 유리하고 좋은 상황이라 할지라도 흔들리기 쉬운 것이다. 그렇다, 늘 손에 쥐고 있을 수 있는 것이 아니기 때문에 불안한 상황에서 벗어나기는 어렵다.

게다가 나이가 들면 그러한 것들마저도 거의 바닥나버린다. 사랑, 농담, 여행의 기쁨, 승마의 즐거움, 사회의 인재가 되겠다는 생각들이 사라져버리기 때문이다. 더구나 친구와 친지들도 죽음을 맞아 우리를 떠난다.

그렇게 되면 그 어느 때보다 자신이 내면에 무엇을 가지고 있는지가 더욱 중요해진다. 그것이 가장 오래 지속되기 때문이다.

하지만 물론 모든 나이대에도 내면에는 행복의 진정한 원천이자 언제나 유지되는 근원이 늘 존재한다. 세상 그 어디에도 이만한 것을 얻을 수는 없다. 세상은 궁핍과 고통으로 가득 차 있으며, 그것으로부터 도피한 사람들을 기다리는 것은 구석구석에 숨어서 도사리고 있는 권태감이다. 더욱이 일반적으로 악한 것이 지배권을 가지며, 어리석음의 목소리도 더욱 크다.

운명은 잔인하고, 인간들은 어리석다. 이러한 세상에서 자신의 내면에 많은 것을 가지고 있는 사람은 눈과 얼음으로 가득한 12월의 밤에 밝고 따뜻한 방에서 즐거운 크리스마스를 즐기는 것과 같다.

지적인 생활이 한 인간을 많은 것으로부터 구해준다

우리의 현실적이고 실제적인 생활은 열정에 따라 움직이지 않으면 지루하고 건조한 것이다. 하지만 열정에만 의지해 움직이면 곧 고통스러워진다.

그렇기에 그들의 의지에 봉사하는 데 필요한 것 이상의 지성을 갖춘 자만이 행복하다. 그들은 실제의 삶과 동시에 지적인 삶을 함께 영위하기 때문에 고통을 느끼지 않고도 활기차고 열정적으로 생활하는 것이다. 단순한 여유, 말하자면 지성이 의지에 봉사하는 데만 집중하지 않는 것으로는 충분하지 않은 것이다.

지성에게는 실제적으로 남아 있는 힘이 있어야만 한다. 그래야만 의지에 봉사하지 않는 '순수하게 지적인 일'을 할 수 있기 때문이다. 그렇기에 "지적인 일을 하지 않는 여유는 죽음이자 생매장을 당한 상태일 뿐이다"라는 세네카의 말이 있는 것이다. (세네카, 〈서간집〉) 이렇게 '남아 있는 지성의 크기'에 따라 현실 생활과 함께 누리는 지적인 생활에는 곤충, 새, 광물, 동전을 수집하고 그것을 기록하는 일에서 시와 철학 같은 높은 단계에 이르기까지 많은 등급이 있다.

이러한 지적인 생활은 권태를 막아줄 뿐 아니라 그것에서 오는 치명적인 결과로부터도 보호해준다. 즉 나쁜 무리와 어울리는 것, 수많은 위험과 불행, 손실과 낭비로부터 지켜주는 벽이 되어주는 것이다. 지적인 생활과 관련해 나를 예로 들어보면, 나의 철학이 나에게 무엇인가를 안겨다준 것은 없지만 철학은 나를 많은 것으로부터 구해주었다.

인생의 기쁨을 바깥에서 찾는다면 그 행복은 사상누각일 뿐이다

평범한 사람은 본인 인생의 기쁨을 인생 바깥에서, 즉 사회적 소유물이나 지위, 아내와 아이들, 친구, 주변 사회 등에 의지하고, 인생의 행복을 이러한 데서 느낀다. 그래서 그가 그러한 것들을 잃거나, 그것들에 기만을 당하면 행복이 무너져버린다. 이러한 관계를 표현하자면, 그 무게 중심이 인생 바깥에 있다고 말할 수 있다. 바로 그렇기 때문에 사람의 소망과 기분은 늘 바뀐다.

만약 상황이 허락한다면 그는 별장이나 말을 사고, 파티를 열고, 여행을 떠나는 등 사치를 즐긴다. 이것은 그가 외부로부터 자신의 만족을 구하려 하기 때문이다. 마치 몸이 약해진 사람이 콩소메(고기와 채소를 끓여 맑게 걸러낸 국물로, 맑고 건더기가 없어

환자식으로 종종 쓰임-옮긴이)와 약재를 통해 자신이 이미 지니고 있는 진정한 생명력의 원천에서 비롯되는 건강과 힘을 얻길 바라는 것처럼 말이다.

3장

인간이 지니고 있는 것에 대하여

부귀에 대한 욕구는 끝이 없고, 충족시키기가 굉장히 어렵다

행복론의 위대한 스승 에피쿠로스는 인간의 필요(욕구)를 세 단계로 나누었다. 첫째는 자연스럽고 필요 불가결한 것으로, 충족되지 않으면 고통을 가져온다. 그저 먹을 것과 입을 것에 대한 욕구가 해당하는데, 이 욕구는 충족시키기가 쉽다. 두 번째는 자연스럽지만 반드시 필요하지는 않은 것으로, 성적인 욕구가 해당한다. 라에르티오스의 보고서에는 에피쿠로스는 그러한 표현을 하지 않았다고 전한다(나는 여기서 그의 이론을 약간 고치고 다듬어 설명하고 있음을 밝힌다). 이러한 욕구를 충족시키는 것은 점점 어려워진다. 세 번째는 자연적이지도 않고 꼭 필요하지도 않은 것들로, 사치·부귀·화려함에 대한 욕구이다. 이것은 그 끝이 없고, 충족시키기가 굉장히 어렵다.

소유에 대한 만족감은 상대적인 양에 달려 있다

소유에 대한 우리의 합리적인 욕구의 적절한 한계를 정하는 것은 불가능한 일은 아니지만 정말 어려운 일이다. 소유에 대한 만족감은 절대적인 양이 아니라 단지 상대적인 비율, 각자가 원하는 만큼과 그 소유물의 관계에 달려 있기 때문이다. 그 대상 소유물만 별개로 판단하는 것은 분모가 없는 분자처럼 아무 의미가 없는 것이다.

어떤 사람은 자신이 얼마만큼의 재산을 소유해야 하는지 생각하지 않고, 소유한 것이 별로 없어도 만족감을 느낀다. 하지만 다른 사람은 그보다 100배나 많은 것을 가지고 있으면서도 자신이 원하는 하나가 없어서 불행하다고 느낀다.

많은 것을 소유하고 있어도 위로를 받지 못하는 이유

각각의 사람은 자신이 도달할 가능성이 있는 자신만의 지평선을 가지고 있다. 그리고 그들은 그 지평선까지 가려 한다. 그 범위 안에 있는 대상을 자신이 가질 수 있다는 확신이 생기면 그는 행복을 느끼지만, 어떤 어려움이 생겨 그런 확신이 사라지면 그는 불행을 느끼게 된다.

이 지평선 시야 밖에 있는 것들은 그에게 아무런 영향을 주지 못한다. 그렇기에 가난한 사람들은 부자들의 거대한 부에 괴로움을 느끼지 않지만, 부자들은 자신의 의지가 수포로 돌아가면 이미 많은 것을 소유하고 있어도 그것으로 위로를 받지 못한다.

부는 바닷물과도 같아서 마시면 마실수록 더 목마르다

부는 마치 바닷물과도 같아서 마시면 마실수록 갈증에 시달린다. 이는 사회적 지위도 마찬가지이다.

영원한 고통도 없고,
영원한 기쁨도 없다

큰 재산이나 유복을 잃고 난 뒤 처음으로 만나는 고통을 이겨내고 나면, 우리의 기분은 예전과 크게 달라지지 않는다. 운명이 우리의 소유물을 줄이고 나면, 우리 스스로 원하는 수준을 크게 줄이기 때문이다. 하지만 이러한 과정은 불행한 사고가 발생했을 때라면 고통스럽기 그지없다. 시간이 지나면 고통은 점점 줄어들고, 결국은 느끼지 않게 된다. 상처가 아문 것이다.

반대로 행복한 일이 갑자기 일어나면 우리의 요구를 억누르던 압축기가 밀려 올라가 우리의 욕구는 팽창되고, 바로 거기에 기쁨을 느끼게 된다. 하지만 역시 이 과정이 완전히 끝나면 기쁨도 더 이상 지속되지 않는다. 우리는 팽창된 요구에 익숙해져 이미 달성한 소유에 대해 무관심해지는 것이다.

4장

인간이 남에게 드러내 보이는 것에 대하여

타인의 견해 그 자체는 행복에 그다지 중요하지 않다

우리는 원체 본성이 너무나도 약해서 다른 사람들이 우리 존재를 어떻게 생각하는지에 대해 너무 많이 신경 쓰는 경향이 있다. 그런데도 아주 조금만 생각해보면 타인의 견해 그 자체가 우리의 행복에는 그다지 중요하지 않다는 사실을 알 수 있다. 그렇기에 다른 사람들이 우호적인 평가를 하는 것을 알아차리고 나름의 허영심이 어느 정도 채워지는 것을 내심 기뻐하는 것을 나는 이해하기 어렵다.

고양이를 쓰다듬으면 고양이가 자동적으로 몸을 비비는 것처럼, 사람은 칭찬을 받으면, 게다가 그것이 자신이 자랑스러워하는 것에 대해서라면 그들은 그 칭찬이 가식적인 거짓말이라 해도 자동적으로 얼굴에 기쁨이 떠오른다. 그들은 실제로 불행하거나, 행복의 원천이 아주 보잘것없다 하더라도 다른 이들의 칭찬으로 종종 위로를 받는다. 그와는 정반대로 어떤 의미이거나 어느 정도의 비율과 상관없이 경멸과 무시를 당하면 스스로 가진 자부심에 상처를 입고 모욕감을 느끼며 깊은 고통을 느끼는 것은 정말 놀랍다.

명예라는 감정이 인간의 이러한 특징에 달려 있는 한, 이것은 도덕성을 대신해 많은 사람들의 훌륭한 행동에 있어서 좋은 결과를 이끌어낼 수도 있을 것이다. 하지만 인간 자신의 행복, 무엇보다 그 행복에 필수적인 마음의 평화와 독립에는 유리한 역할을 하기보다는 그것을 방해하고 더 해로운 역할을 한다.

그렇기에 우리의 관점에서 이러한 특성에 한계를 설정하고, 소유한 물건의 가치를 적절하고 올바르게 평가해 다른 이들의 치켜세우는 말이나 상처를 주는 의견에 지나치게 예민하게 대응하지 않는 것이 바람직하다. 이 두 가지는 같은 실에 달려 있기 때문이다. 더구나 다른 사람들의 의견과 생각의 노예로 남게 되기 때문이다.

나 스스로가 부여하는 가치와 단순히 다른 이의 눈에 비치는 것

나 스스로가 부여하는 가치와 단순히 다른 이의 눈에 비치는 것을 비교해 올바르게 평가하면 우리의 행복에 훨씬 큰 도움이 될 것이다.

첫 번째는 우리 자신이 실제 존재하는 시간에 포함되는 내적인 전체 내용, 즉 우리가 무엇인지, 그리고 무엇을 가지고 있는지에 대해 깊게 생각한 모든 자산이다. 이 모든 것이 바로 자신의 의식 속에서 이루어지기 때문이다.

반면 타인의 것이 이루어지는 장소는 자신의 것이 아닌 타인의 의식 속이다. 바로 그것이 우리가 타인에게 비치는 형태이며, 그러한 형태에서 나타나는 하나의 개념이다. 이러한 것은 우리에게 직접적으로 존재하는 것이 아니라 간접적으로 존재하는 것으로, 우리에 대한 타인의 행동이 그러한 개념에 의해 결정되는 것일 뿐이다. 그리고 이러한 것 그 자체도 우리 자신을 위해서만, 우리에게 무언가를 바꾸도록 영향을 미칠 수 있을 때만 실제로 생각될 뿐이다.

그뿐 아니라 우리는 다른 사람의 의식 속에서 일어나는 일 그 자체에는 관심이 없을뿐더러 사람들의 생각이 얼마나 피상적이고 가벼우며, 시각이 협소하고 태도가 경박스럽고, 잘못된 의견과 오류를 가지고 있는지에 대해 제대로 알게 되면 다른 이들의 생각은 아무렇지 않게 될 것이다.

그런 사람들을 두려워하지 않게 되거나 타인의 말을 내가 들을 수 없다는 생각이 들자마자, 사람들의 말이 때로는 얼마나 하찮은 것인지를 자신의 경험으로 깨닫게 되면 점점 타인의 생각에 대한 관심이 없어지는 것이다. 쓰레기 같은 머리를 지닌 멍청이들이 가장 위대한 인물에 대해 험담하는 말을 들을 때는 더더욱 그렇다. 우리는 그럴 때는 타인의 의견을 몹시 중시하는 사람들이 그들에게 지나친 존경을 표하는 것을 이해하게 될 것이다.

타인의 의견 속에서 살지 말고 자신의 의견 속에서 살자

우리의 행복을 위해서는 건강이 가장 중요하며, 건강 다음으로는 우리를 유지해주는 수단, 즉 걱정 없이 살아가는 것이 중요하다. 많은 사람들이 명예, 부귀, 지위, 명성에 큰 가치를 부여하긴 하지만, 이러한 필수적인 것들과 경쟁할 수도, 대체할 수도 없다. 오히려 본질적인 자산을 위해 필요하다면 그러한 것들은 미련 없이 희생해야 할 것이다.

그래서 사람들은 모두 자신의 의견 속에서 살아가는 것이고, 타인의 의견 속에서 사는 것이 아니라는 단순한 통찰을 얻는다면 그것은 우리의 행복에 큰 도움을 줄 것이다. 건강, 기질, 능력, 소득, 아내와 자녀, 친구, 사는 집 등으로 정해지는 자신의 실제적이고 개인적인 상태에 대해 다른 사람들의 평가에 신경 쓰는 것보다 이러한 진리를 아는 것이 우리의 행복에 100배는 더 중요하다.

그와 반대의 망상은 우리를 불행하게 만든다. "명예가 생명보다 더 중요하다"고 말하는 것은 실제로 '존재와 안녕은 가치가 없으며, 우리에 대한 다른 이의 생각이 더 중요하다'는 의미이다. 이것은 '사회적 지위를 얻기 위해서는 명예, 즉 우리에 대한 타인의 생각이 종종 반드시 필요하다'는 단순한 진실이 근거로 삼는 과장된 말로 간주될 수 있다.

남들이 뭐라고 하는지 신경 쓰면 결코 행복할 수 없다

사람들이 수천 가지의 위험을 감수하고 수고를 감수하면서도 평생 쉴 새 없이 노력하며 지치지 않고 노력하는 거의 모든 것의 궁극적인 목적은, 거의 대부분 다른 사람들의 의견에 따라 자신의 지위를 높이기 위해서이다. 사회적 지위, 관직, 부는 물론 심지어 학문과 예술까지도 타인에게서 더 큰 존경을 받는 것이 근본적이고 주요한 목적이자 최종 목표라는 점은 불행하게도 인간이 얼마나 어리석은지를 증명하는 것일 뿐이다. 다른 사람들의 의견에 너무 큰 가치를 두는 것은 일반적인 착각일 뿐이다.

이러한 것은 우리의 본성에 그 뿌리를 내리고 있거나 사회와 문명으로 인해 생겨난 것일지 모른다. 어찌 되었든 그러한 착각은 우리의 행동 전체에 지나친 영향을 미치고, 우리의 행복에 적대적인 영향을 주며, 남들이 뭐라고 할 것인가 신경 쓰는 노예가 되어 불안에 떨게 한다. 심지어 비르기니우스처럼(캔터베리 이야기에 나오는 이야기의 등장인물로, 권력자가 자신의 딸을 첩으로 삼으려 해 순결을 잃을 위기에 처한 딸을 칼로 찔러 죽임-옮긴이) 단검을 딸의 심장에 박아 넣기도 하며, 사후의 명성과 안식, 부, 건강을 위해 자신의 목숨을 희생하도록 사람을 유혹한다. 이러한 망상은 확실히 사람들을 지배하거나 지시해야 하는 사람들에게는 편리한 도구를 제공한다.

다른 사람의 의견에 너무 많은 가치를 부여하지 말자

어떠한 종류가 되었든 명예를 소중하게 여기고 단련하는 훈련이 인간을 교육하는 것 중 가장 중요한 자리를 차지한다. 그러나 여기서 우리가 말하려는 주제인 인간 자신의 행복과 관련해보면 이러한 문제는 상당히 다른 것이며, 오히려 다른 사람의 의견에 너무 많은 가치를 부여하지 말라고 경고한다.

일상적 경험에 의하면 대부분의 사람들은 자신에 대한 타인의 견해에 가장 높은 가치를 두고 자신의 의식보다 타인의 생각에 더욱더 집중한다. 그렇기에 자연 질서를 거꾸로 뒤집어 다른 이의 의견을 자신의 존재에 실재하는 것처럼 보는 반면, 자신에게 실재하는 것을 단순한 이상적인 것처럼 여기는 경향이 있다. 그러니까 파생된 것과 이차적인 것을 중요한 것으로 생각하고 자신의 존재 자체가 아니라 타인의 머릿속에 있는 관념적 그림에 더욱 관심을 기울인다.

따라서 우리는 직접적으로 존재하지 않는 것에 대해 직접적으로 평가하는 어리석음을 허영(vanitas)이라 지칭하는데, 이것은 그러한 노력의 공허함과 무의미함을 나타내는 것이다. 여기서 알 수 있듯이 허영이란 탐욕 못지않게 수단 때문에 목적을 잊게 하는 것이라는 사실도 쉽게 알 수 있다.

남의 의견에 대한 관심이 걱정과 두려움을 만든다

사실, 우리가 다른 사람들의 의견에 가치를 부여하고 그것에 대해 끊임없이 관심을 기울이는 것은 원칙적으로 합리적으로 얻기 원하는 목표를 초월하는 것이므로 이러한 관심은 일종의 일반적으로 널리 퍼진 광기이자 혹은 타고난 광기로 간주할 수 있다.

우리는 모든 일을 할 때 그 어느 것보다 다른 사람과 그들의 의견에 신경을 쓴다. 그 점을 자세히 생각해보면 우리가 느끼는 모든 걱정과 두려움의 거의 절반이 그에 대한 관심에서 비롯된 것이라는 점을 알게 될 것이다. 병적일 정도로 예민해 종종 기분을 상하게 하는 우리의 모든 자존심의 밑바닥에는, 또한 우리의 모든 허영심과 가식 그리고 화려함과 과대망상의 밑

바닥에는 그러한 걱정이 자리하고 있기 때문이다.

이러한 걱정과 중독이 없다면 아마 사치는 10분의 1도 되지 않을 것이다. 모든 종류의 자부심, 명예심과 명예욕은 그 종류와 영역이 아무리 다를지라도 이러한 걱정에 그 기반을 두고 있다. 그리고 이러한 것 때문에 얼마나 큰 희생이 요구되는지!

분명하게도 우리의 행복은 마음의 평화와 만족에 바탕을 두고 있기 때문에 이러한 행복을 더하기 위해서는 명예욕이라는 태엽을 합리적으로 정당화할 수 있는 수준으로, 아마 현재의 50분의 1 정도로 낮추는 것이, 즉 우리를 고통스럽게 하는 가시를 제거하는 것이 필요하다.

그런데도 이것은 매우 어려운 일이다. 우리는 선천적으로 불합리함을 타고났기 때문이다. 그래서 타키투스도 이것에 대해 "현자도 없애버리기 가장 힘든 것이 명예욕이다"라고 말한다. (〈역사〉 5장)

우리의 인생을
타인의 시선에서 벗어나게 하자

인간이 가진 일반적인 어리석음을 없애기 위한 유일한 수단은 그 어리석음을 그 자체로 명확하게 인식하는 것이다. 이러한 목적을 위해서는 사람들의 머릿속에 든 대부분의 의견이 완전히 잘못되고 불합리하고 이치에 맞지 않으며 고려할 가치가 없다는 사실을 깨달아야 한다. 게다가 대부분의 일과 경우에 다른 사람의 의견이 우리에게 미치는 실제적 영향력은 얼마나 적은 것인지, 더구나 그러한 것들이 우리에게 대체적으로 불리한 것인지를 알아야 한다.

그래서 거의 모든 사람들이 자신에게 하는 타인의 말이나 타인의 어조를 들으면 화를 내고 병이 날지도 모르는 것이다. 결국 명예 그 자체는 실제로는 간접적일 뿐 직접적인 가치가 없다는 사실도 깨달아야 한다.

만약 사람들이 일반적인 어리석음에서 벗어나게 된다면, 믿을 수 없을 정도로 마음이 평온해지고 훨씬 더 밝아지는 결과가 나올 뿐 아니라 확고하고 자신감이 가득한 태도와 억제되지 않은 자연스러운 태도가 이어질 것이다. 이러한 지극히 자비로운 영향은 우리의 인생을 타인의 시선에서 벗어나게 해 그들의 견해에 신경 쓰지 않음으로써 우리를 우리 자신으로 회복시킨다는 사실에 근거한다.

동시에 우리는 순전히 이상적인 노력, 더 정확히 말하면 절망적인 어리석음이 우리에게 가져오는 많은 실제적인 불행을 피할 수 있을 것이며, 또한 흔들리지 않는 단단한 소유물에 더 많은 관심을 기울이고 그것을 아무 방해 없이 더욱 즐길 수 있을 것이다. 하지만 사람들이 늘 말하는 것이 있다. "할 가치가 있는 일은 행하기가 어렵다."

허영심은 수다스럽게 만들지만 자존감은 과묵하게 만든다

자존심은 어떤 면에서는 자신이 우월한 가치를 가진 것에 대해 굳건한 확신이다. 하지만 허영심은 이러한 확신을 다른 사람들에게 가지도록 하려는 욕망이며, 그 결과로 그러한 확신을 자신의 것으로 만들 수 있으리라는 은밀한 희망을 동반한다.

이것으로 보면 자존심은 내부에서 나오는 자존감이자 직접적인 것이지만 반면에 허영심은 외부에서, 즉 간접적으로 그것을 얻으려고 애쓰는 것을 의미한다. 허영심은 사람들을 수다스럽게 만들지만 자존감은 과묵하게 만든다. 하지만 허영심이 있는 사람들은 자신이 아무리 좋은 말을 할지라도 말하는 것보다 계속 침묵하는 편이 스스로가 추구하는 다른 이들의 높은 평가를 받기에 훨씬 더 쉽고 확실한 방법이라는 사실을 알아야만 한다. 자존감은 원한다고 가질 수 있는 것이 아니며, 그렇게 간절히 자존감을 가지길 원할수록 그런 척만 할 뿐 곧 그러한 역할에서 벗어나 버리게 될 것이다. 우월한 장점과 특별한 가치에 대한 내적인 강건한 확신과 흔들림 없는 신념만이 사람에게 진짜 자존감을 만들어주기 때문이다.

어쩌면 이러한 확신은 잘못된 것일 수도 있고 어쩌면 단지 외적인 관습에 근거한 것일 수도 있지만 확신이 진정으로 진지하게 존재하는 한 자존감에 해를 끼치지는 않는다. 자존감이라는 것은 모든 지식과 마찬가지로 확신에 그 뿌리를 두고 있기 때문에 우리의 의지로 되지 않는다.

자존감의 가장 최악의 적이자, 가장 큰 장애물은 바로 허영심으로, 자신에 대한 높은 평가를 근거로 다른 사람들의 찬사를 구하려 애쓰는 것이다. 다른 이들의 찬사를 토대로 자기 자신을 높게 평가하려 하기 때문이다.

좋은 평판을 듣는 것보다 용기를 강하게 만들어주는 건 없다

인간은 혼자 할 수 있는 일이 거의 없고 마치 무인도에 버려진 로빈슨과 같아서 다른 사람들과 공동체 안에서만 많은 일을 할 수 있다. 인간은 의식이 조금이라도 발달하기 시작하자마자 이러한 관계를 알게 되고, 그 즉시 자신이 인간 사회의 적합한 구성원으로서 열정적으로 일할 수 있으며 따라서 이 공동체에 참여할 자격이 있고 인간 공동체의 혜택을 받을 수 있는 사람이라는 것을 인정받기 위해 노력한다.

그는 우선적으로 모든 사람에게 요구되고 기대되는 것을 이루어낸 다음 그가 자리를 차지한 위치에 걸맞은 요구와 기대를 또 해내야 한다. 하지만 이 경우에 중요한 것은 그 자신의 의견이 아니라 다른 사람들의 의견이라는 것을 인간은 곧 인식한다. 그렇기에 여기에서 다른 사람들의 호의적인 의견을 받으려 노력하고 그것에 높은 가치를 두려는 열망이 생겨나는 것이다.

이 두 가지는 타고난 감정의 독창성으로 자신을 보여주는데, 어떤 감정은 자존심으로, 때에 따라서는 수치심으로 불리기도 한다. 이것은 그가 스스로가 결백하다는 것을 알고 있다 하더라도, 심지어 드러난 잘못이 상대적인 의무, 자발적으로 받아들인 의무에 관련된 경우라 해도 다른 이들에게 좋은 평판을 잃는다고 생각이 되면 그의 얼굴을 붉게 만드는 것이다.

타인에게 호의적인 의견을 듣거나 다시 확실성을 얻는 것보다 그의 삶에 대한 용기를 강하게 만들어주는 것은 없다. 이것이 다른 모든 사람들이 힘을 모아 자신을 보호하고 도움을 줄 것이라 기대하기 때문이며, 이러한 도움은 자신이 만든 것보다 인생의 재앙에 대해 무한히 더 큰 방어벽이 되어주기 때문이다.

일시적인 명성, 거짓된 명성에 취하지 말아야 한다

모든 훌륭한 것들이 천천히 성숙하듯이, 일반적으로 명성도 늦게 나타나는 것이 더 오래 지속된다. 사후에 얻는 명성은 씨앗일 때 아주 천천히 자라는 참나무와도 같다.

반면에 일시적인 명성은 빨리 자라는 일년생 식물과도 같고, 거짓된 명성은 빠르게 자랐다가 금방 제거되는 잡초와도 같다. 이러한 과정은 어떤 사람이 후세, 실제로는 일반적인 인류에 속하게 될수록 그 당시에는 이질적이기 때문이다.

그가 창작한 것은 오직 그 시대에만 특별하게 바쳐진 것이 아니라, 그 시대가 아닌 인류의 일부이기 때문에 그 시대의 색으로 칠해져 있지 않다. 하지만 그렇기에 그를 이방인으로 여기고 그냥 지나쳐버리는 일이 쉽게 일어날 수 있다. 오히려 그 시대는 그 짧은 하루의 일이나 변덕에 봉사해 전적으로 그 시대에 속하고, 함께 살고 그 시대와 함께 죽는 사람을 소중하게 여긴다.

따라서 예술과 문학의 역사에서는 일반적으로 인간 정신의 가장 높은 성과는 대체로 동시대 사람들에게 비우호적으로 받아들여졌고, 후대에 이르러 더 높은 수준의 영혼이 나타나 그들의 업적에 말을 걸고 공감해 명성을 얻게 할 때까지 오랜 시간 동안 그렇게 남아 있었다고 가르친다. 그들의 업적은 그렇게 얻은 권위를 통해 명성을 아주 오래 유지한다.

이 모든 것은 결국 모든 사람들이 자신과 동질적인 것만 이해하고 평가할 수 있다는 사실에 달려 있는 것이다. 평범함 사람에게는 평범한 것이, 천박한 사람에게는 천박한 것이, 멍청한 이에게는 혼란스러운 것이, 무식한 이에게는 무식한 것이 동질적인 것이다. 그러므로 모두가 자신과 동질적인 자신의 작품을 가장 좋아하는 것이다.

명성 그 자체가 아니라 명성을 얻는 것이 가치 있다

명성은 원래 다른 사람과 비교하는 것에 달려 있다. 그래서 본질적으로 그것은 상대적인 것이고 상대적인 가치를 가진다. 나머지 사람도 그와 같은 명성을 가지게 된다면 그 명성은 완전히 사라지고 만다.

절대적 가치는 그 어떠한 상황에서도 그것을 유지함으로써 어떤 사람을 위하는 것이어야만 한다. 위대한 마음과 위대한 두뇌의 가치와 행복은 분명 거기에 있어야 한다. 그렇기에 명성 그 자체가 아니라 명성을 얻는 것이 가치 있는 것이다. 가치 있는 것은 사물의 실체이지만 명성은 사물의 우연한 성질에 불과한 것이기 때문이다.

명성은 그것을 얻은 사람의 외부적인 요소로 작용하며, 그것을 통해 그는 자신에 대한 높은 평가를 확인한다. 따라서 빛과 마찬가지로 그것이 몸에서 반사되지 않으면 그 실체가 전혀 보이지 않는다. 모든 탁월함도 명성을 통해서만 진정으로 그 자신을 확신하게 되는 것이다. 그러나 그것만으로 확실한 증거는 되지 않는다. 공적이 없는 명성이 있고, 명성이 없는 공적도 있기 때문이다. 그렇기에 "몇몇은 유명하고 다른 이들은 그럴 자격이 있다"는 레싱의 말은 어쩌면 너무 깔끔한 표현일 것이다.

타인의 눈에 어떻게 보이는지에 따라 한 인간의 가치와 무가치가 결정된다면 그 존재는 아주 비참할 것이다. 모든 존재는 오히려 그 자체를 위해 살고 존재한다. 그 때문에 홀로 살아가는 것이다.

어떤 방식이든, 어떤 종류이든, 어떤 사람을 이루는 것은 그 자체의 존재이다. 여기에 큰 가치가 없다면 그는 별 가치가 없는 사람인 것이다. 그러나 다른 이의 생각에 비친 그 존재의 이미지는 부차적이고 파생적인 것이며 우연에 따른 것이라 진정한 본질과 간접적으로 연결되어 있을 뿐이다.

나의 방식으로 열정을 다했을 때 사후의 명성을 얻는다

명성이란 것은 어떤 것은 증상이라 여겨지는 것, 단순한 반사에 불과한 것인데 거짓 명성의 소유자는 실제의 반사를 가지지 않고 그저 명성만을 얻었을 뿐이다. 하지만 자기애에서 비롯되는 자기기만에도 불구하고 자신에게 맞지 않는 높은 높이에 현기증이 나거나 자신이 금화가 아닌 구리 동전에 지나지 않을까 하는 느낌에 이러한 영광 자체도 그를 위해 망가져야 하는 것이다.

특히 후세 사람들의 평가를 읽을 수 있는 현명한 이들은 나중에 이것이 공개되는 것에 대한 두려움과 굴욕을 당하지 않을까 하는 불안감에 사로잡힌다. 그리하여 그는 거짓 유언장으로 유산을 물려받은 사람을 닮아간다. 가장 존경받는 명성인 사후의 명성은 직접 체험할 수 없지만, 그런데도 그는 행복하다고 평가된다.

그러므로 행복의 본질은 그런 명성을 안겨준 위대한 자질 자체에, 또 그러한 자질을 발전시킬 기회를 찾았다는 데 있다. 또한 자신에게 맞는 방식으로 행동하고 열정을 다해 하고 싶은 일을 추구하도록 할 기회가 있었다는 데 있다. 이런 방식으로 생겨난 것만이 사후의 명성을 얻기 때문이다. 그렇기에 그의 행복은 위대한 마음에, 정신의 풍요로움에 있었으며, 그의 작품에 각인된 그의 정신의 풍부함이 다음 수 세기 동안의 찬사를 받게 되는 것이다.

사후 명성의 가치는 그것을 얻는 데에 있고, 이것이야말로 그가 받는 자체의 보상이다. 때때로 명성을 얻은 작품이 동시대인들의 명성을 얻었는지의 여부는 우연한 상황에 달려 있기 때문에 그다지 중요한 요소는 아니다. 일반적으로 사람들은 스스로 판단할 능력이 없으며, 특히 굉장히 높고 어려운 업적을 평가할 능력이 전혀 없기 때문이다. 그래서 언제나 타인의 권위를 따르고, 넓은 범주에서의 높은 명성은 그것을 얻은 100명 중 99명의 경우 순전히 선의에 달려 있다.

그러한 이유로 동시대 사람들이 일제히 입을 모아 박수를 보내더라도 생각이 깊은 사람들에게 그것은 가치가 없는 일일 것이다. 그들은 항상 그 박수 소리 안에서 몇몇의 목소리가 메아리쳐 울리는 것만을 들으며, 몇몇의 목소리 그 자체도 일상적으로 들을 수 있는 것에 불과하기 때문이다.

5장

우리 자신에 대한 우리의 태도에 대하여

자신이 누린 기쁨보다는 자신이 피한 재앙에 주목하라

전체적으로 완전히 건강하고 완벽하지만 몸에 작은 상처가 있거나 아니면 통증이 있는 경우에는 몸 전체의 건강보다는 상처 부위의 통증에만 관심이 쓰이기 때문에 삶에게 느낄 수 있는 전반적인 편안한 기분이 사라진다.

이와 마찬가지로 모든 일이 우리의 의도대로 잘 진행되더라도 한 가지가 마음먹은 대로 진행되지 않으면 아무리 작은 일이더라도 계속 그것에 대한 생각이 떠오르기 마련이다. 계속 그 일만 생각하게 되고, 뜻대로 진행되는 다른 일은 생각하지 않게 된다.

이럴 경우 손상되는 것은 우리의 의지이다. 하나는 신체적으로 객관화된 의지이고, 다른 것은 인간의 노력으로 객관화된 것이다. 두 가지 경우 우리의 의지의 만족은 항상 부정적인 영향만 미치기 때문에 직접적으로 느껴지지 않고, 기껏해야 성찰의 단계에서 의식된다. 반면에 의지의 억제는 긍정적이고 그렇기에 적극적이다. 모든 즐거움은 단지 이 억제의 제거, 그것에서 해방하는 데 있기 때문에 수명이 짧다.

그러므로 아리스토텔레스는 삶의 쾌락과 안락에 주의를 기울이지 말고 가능한 한 삶의 무수한 해악을 피하라고 가르친다. 이 방법이 옳지 않다면, 볼테르의 말 "행복은 꿈에 불과하지만, 고통은 현실이다"도 거짓이라 해야 하지만 그것은 진실이다. 그렇기에 행복론을 고려해 자신의 인생의 결과를 도출하려 하는 자도 자신이 누린 기쁨에 따라 계산하는 것이 아니라 그가 피한 재앙에 따라 계산을 해야 하는 것이다.

행복하게 산다는 것은
덜 불행하게 사는 것이다

그렇다, 행복론은 그 이름 자체가 완곡한 표현일 뿐이다. 행복하게 산다는 것은 덜 불행하게 사는 것, 즉 참을 정도만큼 산다는 의미로 이해되어야 한다는 가르침으로 시작해야 한다. 물론 인생은 실제로 즐기기 위해서가 아니라 고통을 견디고 끝내기 위해 있는 것이다. 이것을 라틴어를 표현하면 'degere vitam, vita defungi(그럭저럭 살아가며, 삶을 견뎌낸다)'이다.

그렇다, 삶의 고통에서 벗어났다는 사실이 노년에는 위로가 된다. 그렇기 때문에 정신적이나 육체적으로 커다란 고통 없이 인생을 보내는 것이 가장 행복한 운명을 가진 것이지, 가장 큰 기쁨이나 엄청난 즐거움을 누린 것이 아닌 것이다. 최고의 기쁨을 누린 것으로 인생의 행복을 측정하려는 사람은 잘못된 기준을 선택한 것이다. 쾌락은 부정적이고 소극적이기 때문이다.

쾌락이 행복을 가져다준다는 것은 시기심이 스스로 벌하기 위해 선택하는 망상이다. 반면 고통은 적극적인 것으로 느껴지기 때문에 고통이 없는 것이 삶의 행복의 척도가 된다. 고통이 없는 상태는 지루함이 없고, 그것은 지상의 행복을 본질적으로 달성하는 것이다. 그 외의 것은 환영에 불과하기 때문이다.

그렇기에 사람은 결코 고통을 통해 쾌락을 사서는 안 되며, 고통을 감수하면서 쾌락을 맛보려 해서는 안 된다는 결론을 내릴 수 있다. 그렇지 않으면 소극적인 것 때문에 적극적이고 실제적인 것으로 환영의 대가를 지불해야 하기 때문이다. 반면 고통을 피하기 위해 쾌락을 희생한다면 이득을 얻을 수 있다. 이 두 가지의 경우 고통이 쾌락 뒤에 오는지 아니면 앞에 오는지의 여부는 전혀 중요하지 않다. 이 비참한 장면을 기쁨의 장소로 만들고자 하고, 고통으로부터 가능한 최대한의 자유를 얻으려 하는 대신 기쁨과 즐거움을 가장 큰 목표로 삼는 것은 커다란 실수이다. 하지만 많은 사람들이 그런 실수를 저지른다. 오히려 지나치게 어두운 시선으로 이 세상을 일종의 지옥으로 간주하고 그곳에 불이 붙지 않는 방을 얻기 위해 안간힘을 쓰는 것이 훨씬 덜 어리석다고 할 수 있다.

인생의 기쁨을 좇기보다는 재앙을 피해야 한다

어리석은 사람들은 인생의 기쁨을 좇다가 자신이 배반당한 것을 깨닫는다. 하지만 현명한 사람은 재앙을 피한다.

그가 재앙을 지나치게 회피하느라 불필요하게 기쁨을 희생해야 했더라도, 모든 즐거움은 환영과 같은 것이므로 사실 아무것도 잃은 것은 없다. 그러한 것을 잃었다고 애도하는 것은 아주 치사하고 우스운 일이다.

낙관주의의 영향으로 이 진리를 인식하지 못하는 것이 많은 불행의 근원이다. 우리가 고통에서 자유로울 동안 불안한 욕망은 우리에게 존재하지도 않는 행복이라는 환상을 심어주고 그것을 추구하도록 유혹한다. 그래서 우리는 부인할 수 없는 현실의 고통을 우리에게 가져온다. 그런 다음 우리는 잃어버린

낙원처럼 우리 뒤에 놓여 있는 고통 없는 상태를 잃었다고 한탄하며 일어난 일을 되돌릴 수 있기를 헛되이 바란다.

따라서 악랄한 악마는 늘 우리를 고통이 없는 상태에서 욕망의 환상을 통해 우리를 끊임없이 진정한 행복에서 벗어나도록 유인해낸 것 같다. 젊은이는 깊게 생각해보지 않고 세상이란 즐기기 위해 존재하는 곳, 행복이 깃들어 있는 곳으로 간주한다. 그리고 그것을 지배하는 능력이 부족한 자만이 그것을 놓치게 된다고 믿는다.

어떤 사람이 행복의 관점에서 그 상태를 평가하고자 한다면 무엇이 그를 행복하게 하는지 묻지 말고, 무엇이 그를 슬프게 하는지 물어야 한다. 사소한 일에 민감하려면 행복한 상태이어야만 하기 때문이다. 다시 말해 우리가 불행한 상태이면 그러한 사소한 것들을 전혀 느끼지 못한다.

행복을 너무 넓은 범위 위에 세우면 그 행복은 무너지기 쉽다

우리는 삶에 수많은 요구를 하면서 행복을 넓은 범위 위에 세우지 않도록 주의를 기울여야 한다. 너무 넓은 범위 위에 세운 행복은 무너지기 쉬운 데다 재앙이 닥칠 가능성이 훨씬 높기에 결국 나쁜 일이 일어나기 때문이다.

다른 일반적인 건물이 바탕이 넓을수록 견고한 것과 달리 우리의 행복이라는 건물은 반대다. 그러므로 스스로 가진 모든 종류의 수단에 균형을 맞추어 요구 수준을 적정하게 낮추는 것이 커다란 불행을 피하는 가장 확실한 방법이다.

현재만이 유일하게 실재하는 것, 유일하게 확실한 것이다

인생의 지혜에서 중요한 점은 한쪽이 다른 쪽을 망치지 않도록 부분적으로는 현재에, 또 다른 부분으로는 미래에 적절한 비율로 주의를 기울이는 데 있다. 그런데도 많은 사람들이 지나치게 현재에 살고 있다. 경솔한 사람들이 그렇다. 미래에 치우쳐 사는 사람들도 있다. 불안과 걱정이 많은 이들이다.

정확하게 올바른 척도를 유지하는 사람은 거의 없다. 노력과 희망으로 미래만 사는 사람, 항상 앞을 내다보고 미래의 것만 진정한 행복을 가져다준다고 생각해 초조하게 다가올 일을 향해 달려가는 사람은 현재는 쳐다보지도 않고, 즐거움을 찾지도 않은 채 지나쳐버린다.

그런 이들은 늙은이 같은 조숙한 얼굴을 하고 있지만 머리

위에 고정된 막대기에 건초 다발이 매달려 있는 것을 보고 걸음이 빨라지는 이탈리아의 노새와도 같다. 그들은 늘 눈앞에 가까이 있는 것을 보고 그것에 다가가기만을 원한다. 그들은 죽을 때까지 언제나 일시적인 현재의 생활을 살면서 자신의 존재를 속인다.

그러므로 미래를 위한 계획과 걱정에만 몰두하거나 과거에 대한 그리움에 빠지는 대신 현재만이 유일하게 실재하는 것이고, 유일하게 확실한 것이라는 사실을 잊어서는 안 된다. 미래는 늘 우리가 생각하는 것과 항상 다르게 나타나며, 과거도 우리의 기억과는 다른 것이며, 더구나 전체적으로 볼 때는 과거와 미래 모두 우리가 생각하는 것과 달리 그다지 할 일이 많지 않다는 것을 기억해야 한다. 멀리 있는 대상은 눈으로 볼 때는 축소되어 보이지만 생각을 하면 확대되어 보인다.

현재만이 진실된 것이고 실재하는 것이다. 그것은 실제로 성취된 시간이며, 우리의 존재는 전적으로 그 안에 있다. 그러므로 우리는 현재를 항상 즐거운 마음으로 받아들여야 하며, 직접적인 고통이나 불쾌감 없이 견딜 수 있는 자유로운 시간을 즐겨야만 한다.

과거에 가졌던 희망이 실패로 돌아간 일이나 미래에 대한 걱정 때문에 우울한 얼굴로 현재를 흐리게 해서는 안 된다. 지나간 일에 대한 근심이나 다가올 일에 대한 염려 때문에 현재의 좋은 시간을 제멋대로 망치고 팽개치는 것은 굉장히 어리석은 일이다. 걱정이나 슬픔, 양심의 가책을 위한 시간은 따로 마련해야 한다.

미래의 재앙 중 다가올 것이 아주 확실한 것만 걱정하라

미래의 재앙 중 다가올 것이 아주 확실한 일을 걱정하는 것만이 정당화될 수 있다. 그러나 이런 경우는 아주 극소수일 것이다. 모든 부분에서 아주 확실한 경우와, 일어날 가능성은 확실해도 발생할 시기는 전적으로 불확실한 경우로 나뉜다. 하지만 이 두 가지 종류에 신경을 쓰다 보면 더 이상 조용한 순간은 없어질 것이다. 그러므로 발생하거나 다가오는 시기가 불확실한 불행으로 인해 우리 인생의 평온함을 빼앗기지 않으려면 우리는 그것들을 결코 오지 않을 것으로 생각하고, 시기가 불확실한 것은 생각처럼 금방 찾아오지 않으리라 여기는 데 익숙해져야 한다. 그러나 사람들은 두려움이 사라지고 마음이 안정되면 욕망이나 욕구 때문에 더 많은 걱정을 한다.

무심히 지나쳐버리는 일상의 모든 가혹한 현재를 소중히 여겨라

"나는 내 물건을 아무것도 가지지 않았노라"라는 괴테의 인기 있는 노래의 원래 의도는 인간이란 존재할 수 있는 모든 요구에서 벗어나 꾸밈없이 벌거벗은 존재로 돌아간 후에야 비로소 행복의 기초인 영적인 평화를 누릴 수 있다는 것이다. 현재, 말하자면 인생 전체를 즐길 수 있어야 한다는 점을 생각하면 말이다. 그러기 위해서 오늘은 단 한 번뿐이고 다시는 찾아오지 않는다는 사실을 항상 기억해야만 한다.

그런데 우리는 오늘이 내일 다시 찾아오리라 생각한다. 그러나 내일 역시 다시는 찾아오지 않는 또 다른 하루에 불과하다. 우리는 하루하루가 삶의 불가결한 부분이라는 사실을 잊고, 그 때문에 다른 것과는 대체할 수 없다는 사실을 망각한 채 개체가 일반적 개념에 포함되는 것과 마찬가지로 하루하루가 그 아래 포함된 것으로 생각한다.

이와 마찬가지로 병에 걸렸을 때나 슬픔에 빠졌을 때는 고통이나 결핍이 없었던 순간의 기억을 무한히 부러워하며 마치 잃어버린 낙원이나 미처 진심을 알지 못했던 친구처럼 아쉬워한다. 그런 사실을 아무런 일이 없는 건강한 시간에도 항상 인식하고 있다면 현재를 좀 더 가치 있게 여기고 즐길 수 있을 것이다. 그러나 우리는 아름다운 날들을 눈치 채지 못한 채 그냥 지나쳐 보내다가 나쁜 날들이 올 때가 되어야만 그것들이 다시 돌아오기를 바란다. 우리는 즐겁고 행복한 수천의 시간을 우울한 얼굴로 즐겁지 못한 채로 보내놓고, 나중에 우울한 시간이 되었을 때 헛된 그리움으로 한숨을 쉬는 것이다.

그 대신 우리는 지금 우리가 무심히 지나쳐버리는 일상의 모든 가혹한 현재를 소중하게 여기고, 지금부터 과거의 그 절정으로 흘러 들어가고 있다는 사실을 마음에 새기며 앞으로 나아가야 한다. 즉 현재가 바로 불멸의 빛으로 에워싸인 채 기억으로 보존되어, 언젠가 특히 나쁜 시간을 보내고 있을 때 이 기억의 커튼을 들어올려 진심으로 갈망하는 그리움의 대상이 될 수 있는 것이다.

무료해지지 않는 범위 내에서 여러 관계를 최대한 단순화하라

모든 범위의 제한은 행복을 만든다. 우리의 시야, 활동 반경과 접촉 범위가 좁을수록 우리는 더 행복해지고, 그 범위가 넓을수록 더욱 괴로움을 느끼고 두려움이 커진다. 그와 함께 슬픔과 욕망과 공포도 더욱 증가한다. 그렇기에 실제로 눈이 먼 사람들도 우리가 생각하는 것만큼 불행하지 않은 것이다. 그들의 모습은 대부분 고요하고 차분하며 밝으며 편안한 것으로도 알 수 있다.

인생의 후반기가 전반기보다 슬퍼지는 것도 부분적으로는 이러한 법칙 때문이다. 인생이 진행될수록 우리의 목적과 관계의 영역이 점점 확장되기 때문이다. 어린 시절에는 가까이에 있는 아주 좁은 환경으로 관계가 제한되지만, 청소년기에는 상당히 넓어진다. 성인이 되면 그 범위가 우리 인생의 전 과정을 포함하고, 종종 가장 먼 관계, 국가나 민족까지 확장된다. 노년기에는 자손까지 포함해야 한다.

하지만 모든 제약, 심지어 정신적인 것까지도 한정 짓는 것이 우리의 행복에 도움이 된다. 의지의 자극이 적을수록 고통도 적어진다. 그리고 우리는 고통이 적극적인 것이고 행복이 소극적인 것이라는 점을 알고 있다. 활동 범위가 제한되면 의지를 자극하는 외부의 유발 동기가 줄어들고, 정신을 제한하면 내적으로도 유발 동기가 줄어든다.

다만 정신을 제한하는 후자의 방식은 무료함의 문을 열어 간접적으로 무수한 고통의 근원이 된다는 단점이 있다. 이러한 무료함을 내쫓기 위해 인간은 오락이나 사교, 사치, 게임, 술 등 모든 것에 손을 대는 것이다. 그러나 그것은 결국 온갖 종류의 손실과 파멸, 불행을 가져온다.

따라서 권태감을 일으키지 않는 범위 내에서 여러 관계를 최대한 단순화하고, 심지어 삶의 방식도 극히 단조롭게 해야 행복을 가져올 것이다. 삶 그 자체와 그에 따른 삶의 본질적인 부담감이 가장 적게 느껴지기 때문이다. 그런 인생은 파도와 소용돌이 없이 시냇물처럼 흐른다.

큰 세상, 호화로운 삶보다 행복에 이르는 나쁜 길은 더 없다

자기 자신에게 만족하고 자기 자신의 전부를 걸고 “나는 모든 재산을 몸에 지니고 다닌다”라고 말할 수 있다면 그것이야말로 확실히 우리 행복의 가장 유익한 특징이다. 따라서 아리스토텔레스의 “행복이란 자기 자신에게 만족하는 사람의 것이다(《에우데모스 윤리학》, 7장 2절)”라는 말을 자꾸 반복할 필요가 있다(이것은 내가 이 저서의 표어로 정한 샹포르의 문장을 매우 정중한 문장으로 표현하고 있는 것과 본질적으로 같은 생각이다). 사회생활에 따르는 문제와 불편함, 위험과 불쾌한 일은 헤아릴 수 없이 많고 이것을 피할 수 없기 때문에 조금이나마 안심하고 의지할 수 있는 것은 결국 자기 자신밖에 없는 것이다.

큰 세상, 호화로운 삶(높은 계층)보다 행복에 이르는 나쁜 길은 더 없다. 그러한 생활은 우리의 비참한 존재를 기쁨, 즐거움, 쾌락으로 끊임없이 바꾸는 것을 목표로 하기 때문이다. 또한 이 과정에서 서로에게 거짓말을 하는 것이 의무적으로 수반되기 때문에 기만과 환멸로 끝을 맺을 수밖에 없다.

외부로부터의 끊임없는 자극으로 공허를 이기면 불행해진다

내적인 본질적 가치와 그 풍부함을 지닌 사람들은 만족감을 누리기 때문에 다른 사람들과 교제하기 위해 필요한 큰 희생을 치르지 않는다. 그런 이들은 하물며 자신을 부정하며 교제 관계를 맺을 일은 더더욱 없다. 이와는 반대로 평범한 사람들은 너무 사교적이고 순응적이어서 자기 자신보다 다른 사람을 더 쉽게 참게 된다.

말하자면 세상에서 가치 있는 것들은 중요하게 여겨지지 않는 것이고, 사람들이 중요하다 여기는 것은 그다지 가치가 없다는 것이다. 가치 있고 뛰어난 이들이 모두 사람들과 교제하지 않는 것이 그러한 것을 입증하는 것이며 또 그렇기 때문에 뛰어난 것이기도 하다. 이 모든 것을 바탕으로 미루어볼 때 자기 자신에 대한 권리를 지닌 사람이라면 필요한 경우 자신의 자유를 보존하거나 확대하기 위해 자신의 욕구를 제한하는 것이, 그리고 세상 사람들과 어쩔 수 없이 교제를 해야 하므로 가능한 한 짧게 세상과 타협하는 것이 진정한 삶의 지혜가 되는 것이다.

반면 사람들을 사교적으로 만드는 것은 고독과 고독한 자신을 견딜 능력이 없기 때문이기도 하다. 다른 사람들과 어울리는 것뿐 아니라 낯선 곳으로 여행을 떠나게 하는 것도 내면의 공허와 무료함 때문이다. 그런 사람들의 정신에는 자신을 움직이게 하는 원천의 힘이 부족하기 때문에 술을 통해 그것을 높이려다 결국 취하게 되고 마는 것이다. 바로 이런 이유로 그들은 외부로부터의 끊임없는 자극이 필요하며, 자신과 동질한 종류인 술에 의한 가장 강한 자극이 필요하다. 이러한 자극이 없으면 그들의 정신은 그 자체의 무게를 견디지 못하고 무너져 결국 억압적인 무기력에 빠지고 만다.

사리 분별 있게 행동하는 것이 나이가 들수록 점점 더 쉬워진다

외로움은 뛰어난 정신을 지닌 영혼들의 운명이다. 그들도 가끔은 고독에 대해 한숨지을 것이다. 하지만 그들은 두 가지 재앙 중 덜한 것인 고독을 선택할 것이다. 하지만 나이가 들어갈수록 "사리 분별 있게 행동하라!"(호라티우스, 〈서간집〉)가 점점 더 쉬워지고 자연스러워지며, 60대가 되면 혼자 있고 싶은 것이 자연스럽고 본능적으로 된다. 그때가 되면 모든 것이 하나로 뭉쳐져 그러한 충동을 촉발시킨다. 사교에 대한 강력한 본능인 이성에 대한 사랑과 성적 충동이 더 이상 일어나지 않는다.

노년기가 되면 성적인 활동도 어느 정도 자족의 토대를 마련해 점점 사교에 대한 본능을 흡수한다. 그렇게 되면 수천의 속임수와 어리석음에서 벗어나는 것이다. 활동적인 삶은 대부분

끝이 났고, 더 이상 기대할 것이 없으며, 계획하고 의도할 목적도 없다. 그가 속한 세대의 사람들은 더 이상 살아 있지 않다. 낯선 사람에게 둘러싸여 있으면 이미 객관적으로도, 본질적으로도 혼자 서 있는 것이다.

시간의 흐름이 빨라지지만 아직 정신은 그것을 사용하고 싶어 한다. 두뇌 활동이 아직 활발하다면 그동안 쌓았던 많은 지식과 경험, 모든 생각이 점진적으로 완성된 사상과 갈고 닦은 온갖 숙련된 능력 덕분에 각종 연구가 이전보다 더 흥미롭고 쉬워진다. 전에는 흐릿해보였던 많은 일들이 명확해진다. 여러 가지 일에서 성과를 거두어 우월감을 확실하게 느끼게 된다.

또한 오랜 경험의 결과로 사람들에게 많은 기대를 하지 않게 되었다. 대체로 그들은 친분을 통해 얻은 사람들에게 속하지 않기 때문이다.

반대로 드물게 운의 우연을 제외하고서는 인간의 본성에 결함이 있는 사람 외에는 아무도 만날 수 없다는 것을 알고 있다. 인간의 그런 본성은 손대지 않는 게 더 낫다. 따라서 우리는 이제 더 이상 일반적인 속임수에 빠지지 않으며, 그 누구를 보더라도 그가 어떤 사람인지 알아차릴 수 있으므로 그들과 더 친밀한 관계를 가지고 싶다는 욕구를 거의 느끼지 않게 될 것이다.

고독에는 많은 장점 외에도 단점이 있지만 아주 적은 부분이다

호라티우스는 "모든 면에서 행복한 것은 아무것도 없다"(《송가》) 라고 말했다. 인도 속담에는 "줄기 없는 연꽃은 없다"라는 말이 있다.

마찬가지로 고독에는 많은 장점 외에도 작은 단점과 어려움이 있지만 아주 적은 부분에 불과하다. 다른 사람들과 어울려 지내는 것과 비교해보면 그들 없이 지내는 편이 더 쉬운 일이라는 점을 알게 될 것이다.

덧붙이자면, 그런 단점 중 하나는 다른 단점에 비해 쉽게 의식되지 않는다는 것이다. 즉 집에 오래 머물러 있다 보면 우리 몸이 외부의 영향에 너무 민감해져서 조금만 차가운 바람을 맞아도 쉽게 병이 드는 것처럼, 지속적인 은둔과 고독 때문에 우리의 마음도 예민해져 별것 아닌 사건이나 말, 심지어는 단순한 표정에도 불안하거나 불쾌감을 느끼거나 마음이 상하게 되는 것이다. 그러나 늘 북적이는 곳에 사는 사람은 그런 일에 전혀 관심을 두지 않는다.

비록 그들 사이에 있지만
완전히 그들과 함께 있지 않는다

젊은 시절엔 단지 사람들이 마음에 들지 않아 자주 고독에 빠지곤 했지만 그 고독의 적막함을 오랫동안 견딜 수 없는 사람이 있다면, 나는 그런 사람에게 고독의 일부를 사회에도 가지고 가는 습관을 들이고, 사회에 나가서도 어느 정도 혼자 있는 것에 익숙해지라고 충고하고 싶다. 자신이 생각하는 것을 곧바로 다른 사람들에게 말하지 말고, 한편으로는 다른 사람들이 말하는 것을 액면 그대로 받아들이지 말 것이며, 도덕적이거나 지적인 면에서도 다른 사람들의 말에 의존하지 않는 것이다.

따라서 다른 사람들이 어떤 이야기를 하든, 언제나 칭찬을 받을 만한 관용을 익힐 수 있는 가장 확실한 방법은 무관심한 태도를 확고하게 실천하는 것이다. 그러면 비록 그들 사이에 있지만 완전히 그들과 함께 있지 않을 것이고, 그들에 대해 완전히 객관적인 태도를 취할 수 있을 것이다. 그러면 사회와 너무 밀접하게 접촉하지 않아도 되고, 그로 인해 어떤 더러움이나 마음의 상처를 받는 것으로부터 자신을 보호할 수 있을 것이다.

남이 행복하다고 괴로워하는 자는 결코 행복해질 수 없다

질투는 인간의 자연스러운 감정이지만 동시에 악덕이자 불행이기도 하다. 그렇기에 우리는 질투를 우리 행복의 적으로 여기고, 우리를 질식시키려는 사악한 악마로 간주해야 한다. 세네카는 이에 대해 우리에게 멋진 말로 지침을 알려준다.

"자신의 것을 남의 것과 비교하지 말고 즐기도록 하자. 다른 사람이 행복하다고 괴로워하는 자는 결코 행복하지 못할 것이다." (《분노에 대하여》 3권 30장)

"많은 사람이 너보다 앞서 있다고 생각하지 말고, 많은 사람이 너보다 뒤처져 있다고 생각하라." (《서간집》 15권 11통)

때문에 우리는 우리보다 형편이 나아 보이는 사람보다는 우리보다 형편이 나쁜 사람을 더 자주 살펴보는 것이 좋다. 또한 실제로 불행이 닥쳤을 때 가장 효과적인 위로가 되는 것은, 위로가 비록 질투와 같은 근원에서 비롯된 것이긴 하지만, 우리의 고통보다 더 큰 고통을 바라보는 일이다. 그런 다음에는 우리와 같은 고통을 겪고 있는 이들, 즉 불행의 동료들과 함께하는 것이다.

어떤 계획을 실천에 옮기기 전에 충분히 반복해서 생각하라

어떤 계획을 실천에 옮기기 전에는 충분히 반복해서 생각해야 한다. 모든 것을 가장 철저하게 숙고한 후에도 여전히 인간 지식의 불충분함을 인정해, 조사를 하거나 예측을 할 수 없게 하고 전체 계산을 엉망으로 만들어 버릴 수 있는 상황이 여전히 존재하는 것이다. 이러한 우려는 항상 부정적인 면에 무게를 실어 중요한 문제에서 필요 없이 아무것도 건드리지 말라고 조언한다. 그러나 일단 결정을 내리고 계획을 실행하게 되면 모든 것이 되는 대로 맡기고 그 결과를 기다리면 된다. 그런 다음에는 이미 실행한 일을 계속 반복해서 생각하거나 앞으로 일어날지 모르는 위험을 걱정하며 불안해하기보다는 오히려 그것을 깨끗하게 잊고 모든 것을 적절한 때에 충분히 잘 해내었다는 확신을 통해 마음의 안정을 가지고 자신을 진정시켜야 한다.

이러한 조언은 이탈리아의 속담 "마구를 잘 달고 말을 몰아라"에서도 만날 수 있다. 그럼에도 불구하고 나쁜 결과를 맞게 된다면, 그것은 모든 인간사에는 우연과 오류가 있기 때문이다. 가장 현명한 사람인 소크라테스조차 자신의 개인적인 일을 제대로 처리하거나 혹은 적어도 실수를 피하기 위해서는 다이모니온(인간의 내면에 있는 양심의 소리, 즉 신적인 소리를 의미함-옮긴이)의 경고가 필요했다는 것을 보면, 인간의 판단력이 우연과 오류를 미연에 방지하기에는 충분하지 않다는 것을 증명한다.

그 때문에 "우리가 당하는 모든 불행에 대해서 적어도 우리 자신이 어느 정도 책임이 있다"는 어느 교황의 말은 대부분의 경우에는 옳은 이야기이지만 모든 경우에 반드시 들어맞는 것은 아니다. 사람들이 자신의 불행을 될 수 있는 한 숨기고 가능한 한 만족스러운 표정을 지으려 한다는 점도 그러한 사실과 많은 관련이 있는 것으로 보인다. 괴로운 표정을 보이면 자신이 잘못한 것으로 여기게 될까 봐 걱정하는 것이다.

이미 일어나버린 불행한 사건은 더 이상 생각하지 마라

이미 일어나버려 더 이상 바꿀 수 없는 불행한 사건의 경우, 그것이 달라질 수 있었다고 생각하는 것조차 허용해서는 안 되며, 피할 수 있었다는 생각은 더더욱 하지 말아야 한다. 그렇게 하다가는 참을 수 없을 정도로 고통이 커져서 자학을 하게 된다. 그러기보다는 오히려 다윗 왕이 한 것처럼 하는 편이 낫다. 다윗 왕은 자신의 아들이 병들어 있을 때 끊임없이 간청하고 탄원하며 여호와에게 매달렸지만, 막상 아들이 죽고 나자 그는 그것을 무시하고 더 이상 그 일에 대해 생각하지 않았다. 그러나 이처럼 쉽게 무시하지 못하는 사람은 어떤 일이 일어나는 것은 필연적이고 불가피하다는 위대한 진리를 깨달아 숙명론적인 관점으로 도피하는 수밖에 없을 것이다.

이 원칙은 단면적인 것에 불과하다. 하지만 그 원칙은 불행한 일이 일어났을 때 우리의 마음에 즉각적으로 안도감과 안심을 심어주는 데 도움이 된다. 하지만 일반적으로 우리 자신의 태만이나 무모함이 그 불행에 적어도 최소한 책임이 있다면 고통을 느끼겠지만, 미래에는 어떻게 하면 막을 수 있는지를 거듭 숙고해보는 것이 우리의 교훈과 개선을 위해서도, 또한 우리의 미래를 위해서도 유익한 자기 체벌이 될 것이다.

그리고 명백한 실수를 저질렀을 땐, 우리 자신을 변명하거나 미화하면 안 되고, 경시해서도 안 된다. 그렇게 하기보다는 자신의 잘못을 깨끗하게 인정하고 실수가 얼마나 큰 것인지를 확실하게 인식해 앞으로는 그러지 않겠다는 굳은 결심을 해야 한다. 물론 그럴 경우 자기 자신에 대해 만족하지 못하는 자기 불만이라는 큰 고통을 감수해야 한다. 하지만 "징계를 받지 않고는 배움을 얻을 수 없다." (메난더, 〈단행시〉)

행복이나 불행에 대한 모든 것에는 상상력을 억제해야만 한다

행복이나 불행에 대한 모든 것에는 상상력을 억제해야만 한다. 그렇기에 무엇보다 공중누각을 지어서는 안 된다. 쌓아 올리자마자 한숨을 쉬며 다시 무너뜨리면 그 대가가 너무 비싸기 때문이다.

그러니 우리는 나중에 일어날 수 있는 재난을 미리 떠올리며 마음을 괴롭히지 않도록 더욱 조심해야 한다. 즉 말하자면 이것들이 완전히 일어날 가능성이 없거나 아니면 아주 터무니없는 것이라면, 우리는 그런 꿈에서 깨어나 모든 것이 속임수에 불과했다는 점을 즉시 알아차리게 될 것이다. 그리고 더 나은 현실에 대해 더욱더 행복을 느낄 것이고, 어찌 되었든 아주 먼 미래에 있을지도 모르는 재난에 대비하라는 경고로 받아들일 수 있을 것이다.

그러나 우리의 상상력은 그런 재난을 가지고 단순하게 놀지 않는다. 우리의 상상력은 기껏해야 즐겁게 공중누각을 쌓아 올리는 것이다. 상상력의 어두운 꿈의 재료가 되는 것은 멀리 있는 것이기도 하지만 어느 정도는 현실적으로 위협이 되는 재난이다. 우리의 상상력은 이러한 재난을 확대하고, 그것의 가능성을 실제보다 훨씬 더 크고 가깝게 가져와 가장 끔찍한 방식으로 그려낸다. 그래서 꿈에서 깨어나더라도 다른 즐거웠던 꿈처럼 즉시 떨쳐버릴 수가 없다. 즐거운 꿈은 현실에 의해 부정당하고, 기껏해야 가능성이라는 품속에서 희미한 희망만 남기기 때문이다.

하지만 우리가 어두운 환상(blue devils)에 휩쓸리게 되면 좀처럼 사라지지 않는 이미지가 우리에게 다가온다. 그렇게 일이 일어날 가능성은 일반적으로 확실한 것이 되고, 우리는 그 일이 일어날 가능성을 언제나 제대로 평가할 순 없기 때문이다. 그렇게 재난의 가능성이 개연성으로 쉽게 연결되어 우리는 불안의 포로가 되어버린다.

그러므로 우리는 우리의 행복과 불행에 관련되는 것들을 이성과 판단력의 눈으로만 보아야 한다. 있는 그대로 냉정하게 숙고하고, 상상력에서는 벗어나야만 한다. 왜냐하면 상상력은 판단할 수가 없는 데다가 쓸데없이 종종 매우 고통스러운 방식으로 마음을 움직이게 하는 단순한 그림을 눈앞에 보여주기 때문이다.

'이것이 내 것이 아니라면 어떨까?' 이렇게 자신에게 자주 묻자

우리는 우리가 소유하지 않은 것을 보면 쉽게 '저것이 내 것이면 어떨까?' 하는 생각을 떠올리게 된다. 그런 생각은 우리에게 박탈감을 느끼게 한다.

그 대신 우리는 '이것이 내 것이 아니라면 어떨까?' 하고 자신에게 더 자주 물어보아야 한다. 그러니까 내 말의 의미는 때때로 '우리가 가진 것을 잃어버리고 나면 어떤 기분이 들까' 하는 면에서 사물을 바라보려고 노력해야 한다는 것이다.

잃어버리는 것은 재산, 건강, 친구, 사랑하는 사람, 아내, 자녀, 말, 개 등 무엇이라도 상관없다. 대체로 상실하고 나서야 우리는 그 사물의 가치에 대해 배우기 때문이다.

또한 내가 권유한 관점으로 사물을 바라보면 우리는 그것을 소유하고 있다는 사실에 이전보다 더 행복해질 것이다. 그래서 재산의 손실을 위험하게 하지 않을 것이고, 친구를 화나게 만들지 않을 것이며, 아내를 유혹에 노출시키지 않을 것이고, 자녀의 건강을 지키기 위해 노력할 것이다.

유리한 가능성만을 추측해
현재의 우울함을 밝히려 하지 마라

우리는 때때로 유리한 가능성만을 추측해 현재의 우울함을 밝히려고 노력하거나 공상과도 같은 모든 종류의 희망을 생각해내기도 한다. 그러나 이런 희망은 사실 환멸을 품고 있는 것이라 냉혹한 현실에 산산이 부서지면 그 환멸을 피할 수 없게 된다.

어쩌면 나쁜 가능성을 우리 생각의 대상으로 삼는 편이 더 나을 것이다. 그래야 그러한 나쁜 가능성을 막기 위해 우리는 미리 예방책을 강구할 것이고, 또한 나중에 실제로 나쁜 일이 일어나지 않으면 생각지도 못하게 기분이 좋아질 것이다. 약간의 두려움을 겪고 난 뒤에 우리는 항상 눈에 띄게 기분이 밝아지기 때문이다.

그렇기에 우리에게 닥칠 수도 있는 큰 불행을 생각해보는 것은 어쩌면 때로는 좋은 일이다. 나중에 우리가 실제로 훨씬 더 작은 불행을 겪었을 때 실제로는 일어나지 않은 큰 불행들을 생각하면서 견디기가 훨씬 수월해질 것이기 때문이다.

생각의 서랍에서 하나를 열 때는 다른 것들은 모두 닫아두자

우리와 관련된 사건들은 개별적으로 완전히 고립되어 있어 인과관계가 불분명하고 이따금씩 동시에 발생하기도 한다. 사건들은 서로 확연한 대조를 이루고 있어 우리의 일이자 생각과 관심이라는 것 외에는 아무런 공통점이 없다. 그렇기에 거기에 따라가려면 우리도 그러한 문제를 앞뒤 없이 생각하고 걱정해야 한다. 따라서 우리가 한 가지의 일을 처리할 때는 다른 나머지 일에 대해서는 전혀 신경 쓰지 말고, 각자의 시간을 돌보고 즐기며 그것을 견뎌야 한다.

우리가 가지고 있는 생각의 서랍에서 하나를 열 때는 다른 것들은 모두 닫아두어야만 한다. 그래야만 무거운 걱정 하나가 현재의 모든 작은 기쁨을 시들게 해 우리의 마음의 평정을 잃게 하지 않고, 하나의 생각이 다른 생각들을 밀어내지도 않으며, 하나의 중요한 일을 걱정하느라 많은 다른 사소한 일을 소홀히 하지도 않게 된다.

특히 어떠한 문제를 수준 높게 고차원적으로 바라볼 수 있는 사람은 사소한 일과 수준 낮은 일에 너무 몰두해 생각이 가로막혀 자신의 능력을 펼칠 기회를 빼앗겨서는 안 된다. 그것이야말로 "살기 위해 삶의 목적을 그르치는"(유베날리스, 〈풍자시〉 8권 84장) 것이기 때문이다.

외부의 강제가 오기 전에 자기 강제로 그것을 방지하자

다른 많은 일과 마찬가지로 자기 자신을 다른 곳으로 유도하기 위해서는 자제력이 필요하다. 하지만 이를 위해 우리는 사유의 능력을 키워 그 어떤 외부에서 오는 무수한 강제를 견뎌내야만 한다. 살아가다 보면 그러한 압박을 피할 방법은 없다. 적절한 장소에 적용되는 작은 자기 강제는 훗날 외부로부터 오는 수많은 강제를 방지할 수 있다. 원의 중심에서 잘라낸 작은 원이나 아니면 가장자리에서 잘라낸 거의 100배는 큰 원이나 그 모습이 둥글기는 같기 때문이다.

외부로부터의 강제를 피하려면 무엇보다 자기 강제의 방법을 쓰는 것이 가장 좋다. "모든 것을 네게 복종시키려면 우선 너 자신이 이성에 복종하라!"(《서간집》 37권 4통)라는 세네카의 말은 바로 그런 사실을 이야기한다.

우리는 극단적인 경우나 예민한 문제와 관련되어 긴장이 풀리는 경우를 제외하고, 자기강제를 통해 언제나 자신을 통제하고 있다. 하지만 외부에서 가해지는 강제는 가차 없고, 인정사정없으며, 무자비하다. 그렇기에 외부의 강제가 오기 전에 자기 강제에 의해 그것을 미연에 방지하는 것이 현명한 일이다.

많은 불행은 모든 이에게 닥치니 단념하고 견뎌내야 한다

우리 각각은 욕망에 대한 목표를 설정하고, 우리의 욕망을 억제하기도 하고, 분노를 길들이기도 하지만 대부분은 원하는 모든 것 중 아주 작은 부분밖에 도달하지 못한다. 하지만 '많은 불행은 모든 사람에게 닥치는 것'이라는 사실을 명심하고 소망을 이루기 위해 하나의 목표를 세워 욕구를 억제하고, 분노를 제어해야 한다.

한마디로 말해 '단념하고 견뎌내야' 하는 것이다. 그러한 원칙을 지키지 않으면 부와 권력이 있다 하더라도 우리 자신이 가난하다는 것을 느끼지 못하게 막을 수는 없을 것이다.

무언가를 행하고 만들고 배우면 끔찍한 무료함에 빠지지 않는다

"생명의 본질은 운동에 있다"(《영혼에 관하여》)라고 한 아리스토텔레스의 말은 옳다. 마찬가지로 우리 내면의 정신적인 삶도 행동이나 생각을 통해 끊임없이 움직이는 것을 본질로 하고 있으며, 그것에 대한 것에 종사하기를, 행위와 생각을 통해 끊임없이 그것에 대해 일하기를 요구한다. 게으르고 생각 없이 멍하니 있는 사람들이 손이나 도구로 어딘가를 두드리는 동작을 하는 것이 그 증거라 할 수 있다. 우리의 존재는 본질적으로 쉬는 것이 없는 연속적인 것이다.

그렇기에 아무런 활동을 하지 않으면 끔찍한 무료함에 빠져 견딜 수 없는 상황에 빠진다. 이러한 충동을 체계적으로 더 잘 충족시키기 위해서는 충동을 조절해야 한다. 그래서 활동하는 것, 즉 가능하면 무언가를 행하고, 또 가능하면 무언가를 만들고, 최소한 무언가를 배우는 것은 인간의 행복에 필수적이다.

인간의 힘은 자신을 써달라고 요구하고, 인간은 그 힘을 쓴 결과를 어떻게든 알아보고 싶어 한다. 그런데 이런 점에서 가장 큰 만족을 주는 경우는 무언가를 만드는 것, 즉 예술작품, 글, 심지어 단순한 수작업에 의해서도 이루어진다. 어떠한 작품이 매일 자신의 손을 거쳐 완성되는 것을 볼 때 인간은 행복감을 느낀다. 그러한 작품이 고상한 것일수록 행복감도 커진다. 이러한 점에서 중요하고 위대하며 짜임새 있는 작품을 만들어낼 능력을 자각하는 뛰어난 재능이 있는 사람이 가장 행복하다고 할 수 있을 것이다. 그러한 자각으로 좀 더 높은 수준의 관심이 삶 전체에 퍼져 다른 사람들에게서는 볼 수 없는 매력을 더해주기 때문이다.

삶의 무수한 사건들은 만화경의 그림과 비슷하다

인간의 삶은 어떠한 형태를 취하고 있다 하더라도 언제나 같은 요소를 가지고 있다. 그렇기에 오두막에서든, 궁궐이든, 수도원에서든, 군대에서든 그 삶은 본질적으로 같은 삶이다.

삶에서 일어나는 사건이나 모험, 행운이나 불행 또한 아무리 다양한 모습을 가지고 있어도 본질적으로는 같은 것이다. 과자 역시 형태와 색깔이 다양하고 다른 모양을 가지고 있다 하더라도 모두 하나의 반죽으로 만들어진다. 어떤 한 사람에게 일어난 일은 다른 사람에게 우연히 일어난 일과 아주 비슷하다.

그렇게 보면 우리 인생에서 벌어지는 사건들은 어쩌면 만화경의 그림과 비슷하다. 만화경에서 우리는 매번 다른 그림을 보고 있지만 실제로 눈앞에 있는 그림은 사실 항상 같은 것이다.

시간에 이자를 빚지지 않도록
각별히 주의해야 한다

사람은 언제나 시간의 영향과 사물의 변화 가능성을 염두에 두고 있어야 하며, 지금 일어나고 있는 모든 것의 반대 상황을 즉각적으로 상상해봐야 한다. 행복에는 불행을, 우정에는 적개심을, 좋은 날씨에는 나쁜 날씨를, 사랑에는 증오를, 신뢰하고 마음을 터놓는 상대에게는 배신과 후회를 생생하게 그려보고, 그 반대의 경우에도 그렇게 해보는 것이 좋다. 이렇게 하면 우리는 언제나 침착하게 행동할 수 있고 쉽게 속지 않을 것이기 때문에 인생을 살아가는 데 진정한 지혜의 원천을 지속적으로 제공하게 될 것이다.

보통의 경우 우리는 시간의 영향을 예상해야만 했다. 하지만 어쩌면 사물의 무상함과 변화를 올바로 평가하기 위해서 경험이 꼭 필요한 것은 아닐지도 모른다. 사실 모든 조건은 그것이 유지되는 시간 동안에는 필연적인 것이다. 그렇기에 매년, 매월, 매일매일 영원히 그러한 권리를 유지할 것처럼 보인다. 그러나 그 어떠한 것도 영원히 그러한 권리를 지키지 못하며, 영원한 것은 오직 '변화한다'는 사실뿐이다. 현명한 사람은 겉으로 보기에 완벽해 보이는 그러한 안정성에 속지 않고, 변화가 일어날 방향을 예견한다.

그러나 일반적으로 사람들은 사물의 일시적인 상태나 진행 방향을 영원한 것으로 생각한다. 그것은 그들이 결과를 보면서도 그 결과의 원인이 되는 그 싹을 전혀 이해하지 못하기 때문이다. 그 싹에는 바로 변화가 안에 담겨 있다. 반면 원인 때문에 존재하는 결과에는 변화의 싹이 전혀 포함되어 있지 않다.

그래서 사람들은 자기들이 알지 못하는 원인이 그런 결과를 불러온 것이니, 그 원인이 결과를 만들어낼 수 있는 것이라고 가정한다. 이러한 가정에 따르면, 그들이 저지르는 잘못은 늘 모두 다 함께 저지르는 잘못이라는 장점이 있다. 그렇기에 결국 그들에게 닥치는 불행은 항상 함께 겪는 것이지만, 반면에 현명한 생각을 하는 사람이 잘못을 저지르는 경우에는 혼자 불행을 겪는다. 덧붙여 말하자면, 이러한 점을 보면 오류는 결과에서 그 원인을 추론하는 데서 발생한다는 나의 정의가 확인되는 것이다.(《의지와 표상으로서의 세계》 1권 참조)

그러나 그 영향을 예상해 시간을 앞질러 결과를 예견하는 것은 이론적으로만 해야지 실제적으로, 즉 시간이 지나야만 가져올 수 있는 것을 그 시간이 지나기도 전에 미리 앞질러서 요구해서는 안 된다. 그 어느 누구라도 이러한 일을 하는 사람은 '시간보다 더 지독하고 무자비한 고리대금업자는 없다'는 사실과 '무리하게 억지로 시간을 앞지르려 하면 그 어떤 유대인보다 더 높은 이자를 내야 한다'는 사실을 깨닫게 될 것이다.

예를 들어 생석회(산화칼슘. 석회석을 고온에서 연소시켜 이산화탄소를 제거한 것으로 수분 흡수성이 강함 - 옮긴이)와 열을 이용해 나무를 재배하면 단 며칠 안에 잎과 꽃이 나오고 열매를 맺도록 만들 수 있다. 하지만 그런 다음 곧 나무는 말라 죽어버린다. 젊은이가 지금 벌써, 그것이 단 몇 주일 뿐이라 하더라도 성인의 생식능력을 행사하려 하거나, 서른 살 정도가 되어야 잘 할 수 있는 일을 열아홉 살에 성취하길 원한다면 어떻게든 시간은 가불을 해줄 것이다. 하지만 그가 미래에 얻게 될 힘의 일부가, 즉 그의 삶 자체의 일부가 이자로 나간다.

자연의 흐름을 따라야지만 적절하고 완전히 회복될 수 있는 병이 있는 것이다. 적당한 시간이 흐르면 그 병은 흔적도 없이 저절로 사라진다.

지금 당장, 즉시 건강해지고 싶은 사람에게도 시간은 분명 가불을 해줄 것이다. 하지만 그렇게 질병이 사라진 대신 그는 허약함과 만성적인 질환을 이자로 지불하고서 평생 시달려야만 한다.

전쟁 중이나 정세가 불안정한 시기에 당장 돈을 융통하려 한다면 토지나 국채를 원래 가격의 3분의 1의 가치 혹은 그보다 훨씬 더 적은 가치로 팔아야만 한다. 시간이 적당하게 자신의 권리를 행사할 수 있도록 내버려두면, 그러니까 몇 년을 기다리기만 하면 완전한 가치를 받을 수 있지만 미리 가불해달라고 시간에 강요를 한 것이다.

또한 먼 여행을 위해 많은 돈이 필요한 경우도 있다. 사람들은 1년 혹은 2년 정도 지나면 자신의 수입에서 그 금액을 충당할 수 있지만 그들은 기다리기를 원하지 않는다. 그래서 그만큼의 금액을 빌리거나 자본금에서 빼내오기도 한다. 즉 시간을 가불해야 하는 것이다. 이럴 경우 시간의 금전등록기와 명세서는 난장판이 되고, 그 적자는 결코 채울 수도 없이 영원히 불어나기만 한다.

이것은 시간이 벌이는 고리대금업이다. 기다리지 못하는 사람들은 모두 이 시간의 고리대금업에 희생당하는 사람들이다. 자연스럽게 흘러가는 시간을 앞당기지 않으려고 계획하는 것은 어쩌면 굉장히 값비싼 작업이다. 그러므로 우리는 시간에 이자를 빚지지 않도록 주의해야만 한다.

갑작스러운 기쁨이나 슬픔에도
담담하게 대하며 자신을 찾자

아무리 갑작스러운 일이 일어나더라도 너무 크게 기뻐하거나 또 너무 크게 슬퍼해서도 안 된다. 모든 일에는 변화의 가능성이 있어서 언제든 사건이 변할 수 있기 마련이고, 또 그렇기에 무엇이 우리에게 좋은 일이고 나쁜 일인지 잘못 판단할 수 있기 때문이다. 그러므로 거의 대부분의 사람들이 아마도 한 번쯤은 크게 슬퍼했던 일이 나중에 자신에게 최고의 일이 되었던 경우나 아니면 크게 기뻐했던 일이 사실은 너무나 큰 고통의 원인이 되었던 경우가 한 번쯤은 있을 것이다.

이러한 일에 대한 대비를 권장하는 방법을 셰익스피어는 아름다운 글로 표현했다. '갑작스러운 기쁨이나 슬픔을 숱하게 맛보았으니, 이젠 그런 일을 당한다 해도 처음부터 담담하게

대한다.' (〈끝이 좋으면 모든 것이 좋다〉 3막 2장)

그러니 이것은 일반적으로 어떠한 고통이나 시련을 겪더라도 침착함과 의연함을 유지하는 사람은 인생에서 일어날 수 있는 재난이 얼마나 거대하고 엄청나게 많은 것인지 알고 있다는 사실을 보여준다. 그렇기에 그는 지금 일어난 이 시련이 사실은 앞으로 일어날 일의 아주 작은 부분이라고 간주한다. 이것은 스토아적인 태도이다.

이러한 스토아적인 태도에 따르면, 우리는 인간이 처한 상황을 절대 망각해서는 안 된다. 인간 존재 그 자체가 얼마나 슬프고 비참한 운명을 가지고 있는 것인지를 항상 기억하고 있어야 하며, 또한 일반적으로 인간이 얼마나 많은 고통과 시련에 노출되어 있는지도 늘 명심해야 한다.

이러한 통찰력을 되살리려면 자신의 주위를 둘러보기만 하면 된다. 자신이 그 어디에 있든 이 가엾고 비참하며 아무런 결실도 맺지 못하는 존재가 생존을 위해 노력하고 몸부림치며 괴로워하는 모습을 금방 볼 수 있을 것이다. 이러한 모습을 보면 자신의 주장을 내려놓고 모든 사물과 상황의 불안전함에 순응함으로써 자신을 찾는 법을 배우게 될 것이다. 그래서 늘 인생의 고통과 시련에 주의를 게을리하지 않고, 그것을 피하거나 참고 견디려고 할 것이다.

사건·사고들은 그것이 크든 작든 우리 인생의 한 요소이기 때문에 이러한 것을 늘 반드시 명심해야만 한다. 하지만 그렇다고 해서 베리즈포드(영국의 작가, 〈인생의 불행〉이라는 저서로 유명함 – 옮긴이)가 이야기한 '인생의 불행'만을 생각하고 그것을 한탄하며 얼굴을 찌푸리기만 하거나, 작은 벼룩에 물렸다고 신의 도움을 청해서는 안 된다. 분별력이 있는 인간으로서 사람에게서나 사물로부터 일어날지도 모르는 재난을 사전에 피하고 그것을 예방하는 데 신중함을 기해야 한다. 마치 동화에 나오는 영리한 여우처럼 크거나 작은 불행(이러한 것은 대부분 그저 미숙한 것을 숨기려는 것에 불과하다)을 말끔히 피할 수 있도록 노력하고 심사숙고를 기울여야만 한다.

어리석게 행동하지 말고 현명하게 심사숙고하라

사람들이 일반적으로 운명이라고 부르는 것은 대부분 그들 자신의 어리석은 행동을 말하는 것일 뿐이다. 그 때문에 호메로스가 〈일리아드〉(23권 313행)에서 현명한 심사숙고를 추천하는 아름다운 구절에 주의를 기울이지 않을 수 없는 것이다. 나쁜 행동은 다음 세상에서 속죄의 대가를 치르게 될지라도, 이 세상에서 어리석은 짓을 한 자들은 때때로 자비로움을 받을 수도 있지만 결국은 이 세상에서 그 대가를 치르기 때문이다.

더 끔찍하고 위험해 보이는 건 사납게 보이는 사람들이 아니라 현명한 눈을 가진 사람이다. 사자의 발톱보다 인간의 두뇌가 더 무서운 무기임은 확실하다. 세상에 완벽한 사람이 있다면 결코 주저하지도 않고 급하게 서두르지도 않는 사람일 것이다.

운명의 시련과 재난에 용감하게 맞서야 한다

우리 행복에 매우 필수적인 요소는 현명함, 그리고 그 다음으로 꼽자면 용기일 것이다. 물론 이 두 가지 특성을 전부 스스로 만들 수는 없다. 하나는 어머니에게서, 하나는 아버지에게서 물려받지만 그런데도 의지와 훈련을 통해 가지고 있는 현명함과 용기를 더욱 키우는 데 도움을 줄 수 있다.

강철로 만든 단단한 주사위를 던지는 이 세계를 살아나가기 위해서는 운명의 시련에 맞서 무장하고, 사람에 맞서 철저하게 단련한 강철 같은 마음이 필요하다. 인생은 그 모든 것이 투쟁이고, 걸음을 내디딜 때마다 우리는 싸움을 벌인다. 이렇기에 볼테르의 "인간은 검을 뽑아 들어야만 이 세상에서 앞으로 나아갈 수 있으며, 손에 무기를 든 채 죽는 것이다"라는 말은 이

상황에 아주 적당한 말일 것이다. 그러므로 그저 구름이 모여들거나 단순히 지평선에 나타나기만 해도 움츠러들고 절망하며 한탄하는 것은 비겁하고 겁이 많은 영혼이다. 우리는 오히려 다음의 말을 우리의 교훈으로 삼아야 한다. '재난을 피하지 말고 용감하게 맞서라.' (베르길리우스, 〈아에네이스〉 6권 95장)

위험한 일의 결말이 아직 의심스러울 뿐이고, 그것이 행복한 결과를 가져올 가능성이 있는 한 망설이지 말고 맞서 싸울 마음을 먹어야만 한다. 마찬가지로 하늘에 파란 부분이 조금이라도 보이는 한은 날씨에 절망해서는 안 된다. 그렇다, 오히려 이렇게 말할 수 있어야 한다. '세상이 무너진다 해도 그는 파편에 조금도 겁먹지 않는다.' (호라티우스, 〈송가〉)

인생 그 자체는 비겁하게 떨며 마음이 위축될 만큼의 가치가 있는 것이 아니다. 하물며 인생에서의 재산은 더 말할 것도 없다. '그러니 용감하게 살아라, 용감한 가슴으로 운명의 시련에 맞서라.' (호라티우스, 〈풍자시〉)

그러나 이런 마음에도 지나침을 조심해야 한다. 용기가 무모함으로 변질될 수 있기 때문이다. 어쩌면 어느 정도의 두려움과 소심함은 우리가 이 세상에 존재하기 위해서는 필요하다. 겁이란 단지 두려움이 지나친 것이다.

6장

타인에 대한 우리의 태도에 대하여

돌멩이를 내가 바꾸지 못하듯 나는 그들을 바꾸지 않을 것이다

세상을 헤쳐 나가기 위해서는 행동에 주의를 기울이고, 관용을 지니는 것이 유용하다. 행동에 주의를 기울이면 피해와 손실을 막을 수 있고, 관용을 지니면 다툼과 싸움에서 자신을 보호할 수 있다.

사람들 사이에서 살아가야 하는 사람은 자연이 설정하고 부여한 개성이 제아무리 최악이거나 한심하고 우스꽝스러운 것이라 해도 거부해서는 안 된다. 오히려 그 개성을 영원한 것이고 형이상학적 원리의 결과로 있는 그대로 받아들여야 하며, 영원히 변하지 않는 것으로 생각해야 한다. 최악의 경우라 하더라도 '그런 인간들도 있어야 한다'고 생각해야 한다. 그렇게 여기지 않으면 불의를 행하는 것이자, 다른 사람에게 죽음과 생명을 건 전쟁에 도전하는 것이다. 그의 본질적인 개성, 즉 다시 말해 도덕적 성격, 인지 능력, 기질과 인상 등은 바꿀 수 없는 것이기 때문이다.

그런데 고약스럽게도 그의 본질을 완전히 부정한다면 그는 우리를 필멸의 적으로 여기고 대적할 수밖에 없을 것이다. 왜냐하면 우리가 불변인 그의 존재를 변화시킨다는 조건하에서만 그의 생존권을 인정하려는 것이기 때문이다. 그러므로 사람들 사이에서 살아갈 수 있으려면 모든 사람이 어떤 모습을 하고 있든 간에 주어진 개성으로 존재함을 인정해야 하고, 그것의 유형과 본질이 허락하는 대로 그것을 이용하도록 해야 한다. 그 사람의 개성이 변화하기를 바라거나, 있는 그대로의 개성을 무조건 부정해서는 안 된다. 그것이야말로 '나도 살고, 상대도 산다'는 말의 진정한 의미인 것이다.

그러나 이러한 일은 정당한 만큼 쉬운 일이 아니다. 어느 특정한 개성을 지닌 사람들을 영원히 피할 수 있도록 허락된 사람은 행운아라 할 수 있다.

사람을 견디는 법을 배우려면 무생물을 상대로 자신의 인내심을 길러야 한다. 무생물은 역학적·물리적 필요에 의해 완강하게 우리의 행동에 저항한다. 그러한 기회는 언제나 있을 것이다. 그렇게 해서 얻은 인내를 인간에게 적용하는 법을 배우는 것이다.

그러니 그들의 행동에 분개하는 것은 우리의 앞을 가로막는 길 위에 굴러온 돌멩이를 보고 화를 내는 것과 마찬가지로 어리석은 짓이다. 나는 그들을 바꾸지 않을 것이고, 그렇게 그들을 이용할 것이다.

자신의 지성의 척도만큼만 다른 사람을 파악하고 이해한다

그 어느 누구도 자신을 넘어서 볼 수는 없다. 사람은 자신의 지성의 척도에 따라서만 타인을 파악하고 이해할 수밖에 없기 때문이다. 그러나 이 지성이 매우 낮은 수준의 것이라면 그 어떠한 정신적 재능, 심지어 아무리 위대한 재능일지라도 그에게 영향을 미치지 못할 것이다. 그런 이들은 훌륭한 재능의 소유자에게서 그 사람의 가장 낮은 것, 즉 그가 지닌 모든 약점, 기질과 성격의 결함만을 감지해 그 사람을 결점과 약점을 지닌 사람으로 규정하게 될 것이다. 맹인에게 색이 존재하지 않는 것처럼 그에게는 타인이 지닌 좀 더 높은 수준의 정신적인 능력이 보이지 않는 것이다. 즉 정신적 능력이라는 것은 그것을 갖지 않은 사람에게는 보이지 않는다.

다른 이들의 사랑을 받을 것인지, 존경을 받을 것인지 택일하라

라 로슈푸코는 "존경하는 동시에 몹시 사랑하는 것은 어렵다"라는 말을 남겼다. 그의 말은 아주 타당하다. 따라서 우리는 다른 이들의 사랑을 받을 것인지 아니면 존경을 받을 것인지 둘 중 하나를 선택해야만 한다.

인간의 존경은 사랑과는 반대의 것이다. 존경은 사람의 의지에 반해 강요되는 것에 불과하고, 그런 이유로 대부분 은폐된다. 그래서 존경을 받으면 사람들은 내적으로 훨씬 더 큰 만족을 느낀다. 존경은 우리의 가치와 연관되어 있고, 인간의 사랑에 직접 적용되지 않는다. 사랑은 훨씬 더 주관적이고 존경은 객관적이기 때문이다. 둘 중에서 물론 사랑이 우리에게 더욱더 유용하다.

그들은 자신의 자아만 중요하지, 다른 것은 소중하지 않다

대부분의 사람들은 매우 주관적이어서 기본적으로 자기 자신 외에는 그 어느 것에도 관심이 없다. 그렇기에 다른 사람들이 무슨 이야기를 하든 즉시 자신을 먼저 생각하고, 자기 개인적인 것과 아무리 먼 이야기일지라도 아주 조금이라도 관계가 있다고 생각되면 그에 관심을 빼앗겨 그 이야기의 주제에 객관적으로 판단하는 이해력을 잃어버리게 된다. 반면에 그 어떤 이야기라 하더라도 자신의 흥미를 끌지 못하거나 허영심에 맞지 않으면 이유불문하고 그것을 인정하지 않는다. 그렇기에 그들은 쉽게 주의가 산만해지고, 쉽게 상처를 받고, 쉽게 화를 내고, 쉽게 모욕감을 느끼고, 쉽게 감정이 상한다.

그래서 어떤 이야기를 아무리 객관적으로 말한다 하더라도 그 내용이 바로 앞에 있는 상대의 소중하고 부드러운 자아를 상하게 하거나 어떤 식으로든 그 자아에 부정적인 영향을 주는 것은 아닌지 충분한 주의를 기울일 필요가 있다. 왜냐하면 그들에게는 오직 자신의 자아만 중요하지, 다른 그 어떠한 것은 소중하지 않기 때문이다. 그들은 다른 이의 이야기가 참된 것인지, 아름답고 우아하며 재미있는 것인지에 대해서는 그것을 깨달을 감각이 없다.

하지만 아무리 조금이라도, 아무리 간접적이라 할지라도 그들의 하찮은 허영심에 상처를 줄 법한 일이거나 그들의 자아에 조금이라도 부정적인 영향을 줄 것 같은 일에 대해서는 무척이나 민감한 반응을 보인다. 그들의 그러한 연약함은 나도 모르게 나에게 발을 밟혀 낑낑거리며 울어대는 강아지와 같다. 또는 상처와 혹으로 가득해 최대한 접촉을 피해야 하는 환자와 같다고도 할 수 있을 것이다.

그러나 어떤 이들은 이러한 특징이 너무 심해 대화를 나누는 상대의 마음과 이성이 드러나거나 혹은 충분히 감추지 못하면, 당장 그 모욕감을 드러내지는 않더라도 그것에 곧바로 모욕을 느끼는 사람들이 종종 있다. 그러면 경험이 부족한 사람은 자신이 대체 왜 그들의 분노와 미움을 샀는지 헛되이 고민하지만, 그 이유를 알지 못한다. 그와 같은 그들의 그러한 주관성 덕분에 그들은 쉽게 아첨하기도 하고, 쉽게 마음을 얻기도 한다. 그들의 판단은 쉽게 뇌물로 사들일 수 있고, 그것은 그들의 계급이나 무리에 유리한 발언이지 객관적이고 공정한 것은 아니다. 그들에게는 의지가 인식보다 훨씬 더 중요한 것인 데다가 연약한 지성이 전적으로 의지에 달려 있기 때문에 잠시도 자유로울 수 없기 때문이다.

모든 것을 자신의 일과 관련 짓고 어떤 생각이든 곧바로 자신과 관련해 생각하는 '가련한 인간'의 주관성을 입증해주는 대표적인 증거는 위대한 천체의 운행을 보잘것없는 인간과 연관 짓고 하늘의 혜성을 지상의 분쟁이나 천박한 일과 관련짓는 점성술이다. 이 점성술은 어느 시대에나 있었고, 심지어 아주 오랜 옛날에도 이미 행해지고 있었다. (스토바에오스, 〈윤리학 선집〉 1권 22장 9절)

어리석은 사람들 사이에서 불합리한 일을 당해도 인내하라

대중이나 사회에서 불합리한 일이 이야기되거나, 문헌에 기록되어 호평을 받거나, 적어도 반박되지 않는다고 해서 잘못된 일에 대해 절망하거나 거기서 끝났다고 생각해서는 안 된다. 그러한 문제는 나중에 점차적으로 재검토될 것이고, 다시 조명되고 고려되고 또 논의되어 결국 최종적으로 올바른 판단이 내려질 것이다.

그렇기에 그 문제가 어려운 정도만큼 필요한 시간이 지나면 뛰어난 사람이 본 즉시 이해한 것을 그 시간이 지나고 나면 거의 대부분의 사람 역시 이해할 수 있게 될 것이라고 스스로 위로해야 한다. 그동안은 물론 인내심을 가져야 한다. 어리석은 사람들 사이에서 혼자 올바른 이해력을 가진 사람은 잘못된 시간을 가리키는 시계탑이 있는 도시에서 혼자 올바른 시계를 가진 사람과도 같기 때문이다.

오직 그만이 올바른 시각을 알고 있지만 그게 무슨 소용이 있단 말인가? 온 세상뿐 아니라 그의 시계만이 올바른 시각을 가리키고 있다는 사실을 알고 있는 사람조차 잘못된 도시의 시계에 맞추어 생활하는데 말이다.

상대를 너무 너그럽게 대하거나 다정하게만 대해서는 안 된다

인간은 너그럽게 대하면 버릇이 없어지는 모습이 꼭 어린아이와 비슷하다. 그렇기에 다른 사람을 너무 너그럽게 대하거나 다정하게만 대해서는 안 된다. 일반적으로 친구에게 돈을 빌려주는 것을 거절하면 친구를 잃지는 않지만, 돈을 빌려주면 바로 친구를 잃게 되는 것과 같은 이치이다. 그것과 마찬가지로 다소 거만하고 소홀한 행동을 한다고 해서 쉽게 친구를 잃지는 않는다. 그러나 종종 너무 과한 친절과 예의는 상대를 오만하고 참을 수 없는 태도를 가진 사람으로 만들어 결국 파국을 초래한다.

사람들은 특히 '자신이 상대에게 꼭 필요하다'는 생각을 한다. 그러한 생각은 오만함과는 떼려야 뗄 수 없는 동반자이다.

결국 그는 오만해지고 주제 넘는 행동을 하게 된다. 어느 정도 당신이 그들과 어울리고 있고 친밀한 대화를 나눈다는 사실만으로도 그런 생각을 하는 경우도 있다. 그렇게 되면 그들은 당신이 어느 정도는 무엇이 되었든 그것을 참아야 한다고 생각할 것이고, 곧 공손함의 한계를 넓히려 할 것이다. 그래서 더 친밀한 관계의 교제를 하기에 적합한 사람은 거의 없으며, 비열한 본성으로 스스로를 천박하게 만들지 않도록 조심해야 하는 것이다. 게다가 어떤 사람은 자신이 나를 필요로 하는 것보다 더 내가 자신을 필요로 한다는 생각이 들면, 즉시 무언가를 도둑맞은 것 같은 기분을 느끼게 되어 그는 도둑맞은 것을 되찾기 위해 앙갚음을 하려 할 것이다.

사람 간의 교제에서 우월함은 어떤 방식으로든 상대가 필요하지 않다는 사실과 그러한 사실을 드러내 보이는 것에서 생겨난다. 그러므로 남자든 여자든 상관없이 모든 사람에게 '당신 없이도 잘 지낼 수 있다'는 사실을 가끔 느끼게 해주는 것이 바람직하다. 그러면 둘의 우정도 더욱 돈독해진다.

그뿐 아니라 대부분의 사람들은 가끔 약간의 무시를 당하더라도 아무런 해를 끼치지 않고 오히려 그럴수록 그들은 우리의 우정을 더욱 소중하게 생각한다. 이런 사실을 뒷받침하는 이탈리아 속담으로 "존경하지 않는 자, 존경 받는다"라는 말이 있다.

그러나 어떤 사람이 정말 소중하고 귀한 가치가 있다면, 우리는 그런 사실이 마치 범죄라도 되는 것처럼 그에게 이 사실을 숨겨야만 한다. 그것이 썩 즐거운 일은 아니지만, 그것은 엄연한 진실이다. 개도 너무 큰 친절만 베풀면 얌전해지지 않는데, 하물며 사람은 말할 것도 없다.

그의 잘못을 용서하고 잊는다면
그는 같은 잘못을 또 저지른다

용서하고 잊는다는 것은 자신이 겪은 귀중한 경험을 창밖으로 내던져버리는 것이다.

긍정적인 경우에 대해서는 그다지 할 말이 많지 않을 것이다. 말을 하는 것이 그리 큰 도움이 되지 않을 것이기 때문이다. 그렇기에 당신은 경고를 하든지, 아니면 그냥 내버려두든지 해서 그 문제를 그냥 내버려두어야 한다.

반면 부정적인 경우에는 즉시 그 친구와 영원히 헤어져야만 하고, 그가 하인이라면 바로 내쫓아야 한다. 비록 지금은 그들이 당신에게 다시는 그런 행동을 하지 않겠다고 진심으로 약속하겠지만, 불가피하게 같은 상황이 발생하면 똑같은 행동을 다시 하거나, 아니면 거의 비슷한 일을 할 것이기 때문이다.

다른 사람을 내 행동의 모범으로 삼아서는 안 된다

당신이 하는 일과 하지 않는 일에 대해 다른 사람을 그 행동의 모범으로 삼아서는 안 된다. 나와 다른 사람의 처지와 상황, 관계는 결코 같지 않은 데다가 성격의 차이가 행동에도 다른 영향과 분위기를 주기 때문이다. 그러므로 두 사람이 같은 행동을 해도 같지 않은 것이다.

성숙한 반성과 신중하고 깊은 숙고를 거친 후에 자신의 성격에 따라 행동해야 한다. 이러한 독창성은 실천적인 면에서도 필수적이다. 그렇지 않으면 당신이 하는 일이 당신의 모습과 일치하지 않게 된다.

남의 의견에 반박하지 말고,
남의 잘못을 고치는 말은 삼가자

다른 이의 의견에 반박하지 않아야 한다. 사람들이 믿는 모든 부조리에 대해 전부 이야기하며 그 생각을 바꾸려고 한다면, 아무리 오래 산다 하더라도 그것을 끝내지 못할 것이다.

그뿐 아니라 대화를 나눌 때 아무리 호의를 가진 것이라 하더라도 다른 사람의 잘못을 고치는 말은 삼가야 한다. 사람의 감정을 상하게 하기는 쉽지만, 그것을 다시 바로잡기란 불가능하지는 않더라도 매우 어렵기 때문이다. 만약 우연히 듣게 되는 '말도 안 되는 대화'가 우리를 짜증나게 하기 시작하더라도, 그것을 두 사람의 바보가 이야기하는 코미디의 한 장면이라고 상상해야 한다.

그가 내 판단을 믿게 만들려면 흥분하지 말고 냉정하게 말하라

누구든지 다른 사람에게 자신의 판단을 믿도록 하려 하는 사람은 흥분하지 말고 냉정하고 거침없이 말해야 한다. 격렬한 행동은 의지에서 나오기 때문에 사람들은 그가 냉정한 성격을 가진 이성이 아니라 의지에 따라 그러한 판단을 했다고 여길 것이다. 인간에게 근본적인 것은 의지이지만 지식은 부차적으로 부과된 것에 불과하기 때문이다. 그렇기에 열정적인 모습은 의지의 흥분이 단순히 판단에서 나온 것이기보다는 오히려 판단이 흥분한 의지에서 생긴 것이라고 믿을 가능성이 더 크다.

너무나 적절한 이유가 있더라도 자화자찬에 빠져서는 안 된다

당신이 그렇게 할 수밖에 없는 너무나 적절하고 좋은 이유가 있다 하더라도 자화자찬에 빠져서는 안 된다. 허영심은 너무나 흔히 볼 수 있지만 공덕은 흔히 접할 수 없기 때문이다. 단지 간접적으로라도 우리 자신을 칭찬하는 듯한 모습을 보이면 사람들은 모두 사물의 부조리를 통찰하는 이성과 인식이 결여된 허영심 때문이라고 확신할 것이다.

그러나 프랜시스 베이컨은 "항상 무언가 뒷맛을 남기는 것은 비방뿐만 아니라 자화자찬에도 적용된다"(《학문의 존엄에 관하여》)라는 말을 남겼다. 이것은 적당한 자화자찬은 권할 수 있다는 뜻이며, 어느 정도는 옳은 말이다.

상대의 말을 믿는 척해야 할 때와 믿지 않는 척해야 할 때

누군가가 거짓말을 하고 있다는 의심이 들면, 믿는 척하는 편이 좋다. 그러면 그는 더욱 대담해지고 거짓말이 점점 심해져 결국에는 들키고 말 것이다.

이와 반대로 상대가 숨기고 싶어 하는 진실의 일부를 본인도 모르게 이야기를 했는데 그것을 우리가 알게 되었다면, 그것을 믿지 않는 척해야 한다. 그러면 나의 반박에 자극을 받은 상대가 모든 진실을 하나하나 이야기하게 될 것이다.

각각의 사람을 대하는 절차를 기록하고 기억하라

가능한 한 그 누구에게도 적의를 품지 않는 것이 좋다. 하지만 '사람의 성격은 변하지 않는다'는 사실을 명심하고 사람들의 특성을 잘 기억해야 한다. 사람의 나쁜 특성을 잊는 것은 힘들게 번 돈을 버리는 것과 같은 일이다.

적어도 우리와 관련해 사람들의 가치를 결정하고, 그에 따라 그들에 대한 우리의 행동과 그러한 행동을 정하기 위해 각각의 사람을 대하는 절차를 기록하고 그것을 기억해야 한다. 이런 식으로 절차를 만들어놓으면 어리석은 친밀감과 어리석은 우정으로부터 자신을 보호할 수 있다.

사랑하지 않는 것과 미워하지 않는 것에는 세상 모든 지혜의 절반이 담겨 있다. 또한 아무것도 말하지 않고 아무것도 믿지 말라는 것에 그 나머지 절반의 지혜가 포함되어 있다. 물론 이와 같은 규칙과 그에 따르는 규칙을 필요로 하는 세상에는 등을 돌리고 싶을 것이다.

행동 이외의 다른 방법으로
분노나 증오를 보이지 마라

분노나 증오를 말이나 표정으로 표현하는 것은 쓸모없고, 위험하고, 현명하지 못하며, 우스꽝스럽고 비열하고 천박한 일이다. 그러므로 행동 이외의 다른 방법으로 분노나 증오를 보여서는 안 된다.

말이나 표정으로 분노나 증오를 드러내는 일을 완벽하게 피하면 피할수록 그 행위를 더욱 완벽하게 드러내 보일 수 있다. 냉혈 동물에게만 독이 있는 것이다.

격한 어조로 말하지 말고, 타인의 이해력에 맡겨라

"격한 어조로 말하지 마라"는 처세의 오랜 원칙은 자신이 말한 것의 의미를 알아내는 것을 타인의 이해력에 맡기라는 뜻이다. 일반적으로 보통 사람들은 분별력이 좋지 않기 때문에 그 순간이 지난 뒤에야 그것의 의미를 해석할 수 있다.

반면에 "격한 어조로 말하라"는 말은 감정에 호소해 이야기하라는 것을 의미하는 것으로, 모든 것이 원래 의도와는 반대 방향으로 밝혀지는 것을 뜻한다. 어떤 사람들에게는 공손한 태도와 친근한 어조로 이야기하면 그 내용이 무례한 것이라 할지라도 직접적인 위험에 처하지 않는다.

7장

나이가
든다는 것에 대하여

세상에서 얻을 수 있는 것은 없음을 깨닫는 인생 후반기

인생 전반부의 성격이 행복이 충족되지 않는 것에 대한 갈망이라면, 인생 후반부의 성격은 불행에 대한 두려움이다. 인생의 후반기가 되면 '모든 행복은 공상과도 같지만 고통은 실제로 존재한다'는 인식이 어느 정도 분명해지기 때문이다. 그렇기에 이성적인 사람들이라면 인생 후반부의 시기에는 즐거움보다는 단지 고통이 없는 안정적인 상태를 추구한다.

내가 젊었을 때는 우리 집 현관에서 초인종이 울리면 나는 '드디어 오는구나!'라고 누군가를 반기며 기쁨을 느꼈다. 하지만 시간이 많이 흐른 뒤에 나는 현관에서 초인종 소리가 들리면 "결국 오는구나"라는 두려움 비슷한 감정을 느꼈다.

인간세계와 관련해 생각해보면 어느 정도 우수하고 재능이 있는 개인은 인간 세계에 완전히 속해 있지 않다. 그래서 개개인의 뛰어난 능력의 정도에 따라 그는 홀로 외따로 서 있는 것이고, 그렇기에 앞에서 말한 두 가지 상반된 감정을 느낀다.

젊은 시절에는 인간 세계에서 버림받았다는 느낌을 받지만, 나이가 들어서는 인간 세계를 탈출한 느낌을 받는다. 첫 번째의 불쾌한 느낌은 인간 세계에 대한 무지로 인한 것이고, 두 번째의 유쾌한 느낌은 인간 세계를 잘 알게 되어 즐거운 것이다.

그래서 인생의 후반기에는 음악 악절의 후반부와 마찬가지로 힘들게 애쓰는 일은 줄어들고 인생 전반부에 비해 안주하려는 경향이 있다. 젊은 시절에는 세상에서 어떤 큰 행복과 즐거움을 찾는 일이 어렵다고 생각하지만, 나이가 들어서는 세상에서 얻을 수 있는 것은 아무것도 없다는 점을 깨닫고 이제는 그러한 생각을 완전히 초월하는 것이다. 그래서 나이가 들면 안정적이고 그런대로 견딜 수 있는 현재를 즐기며, 심지어는 아주 사소한 일에서도 기쁨을 느끼는 것이다.

인생의 계절 중 가을이 되면
하루가 짧아지지만 더 활기차다

우리의 젊은 시절이 쾌활함으로 가득 차고 의욕이 넘치는 것은 죽음의 산을 오르면서도 죽음을 보지 못하기 때문이다. 죽음은 산 너머 반대편 기슭에 있다. 그러나 일단 정상을 넘으면 우리는 그때까지 소문으로만 듣던 죽음을 실제로 보게 된다. 그러면 곧바로 가득하던 인생의 활기가 사라지기 시작하고 삶의 의욕도 줄어들어, 젊음의 얼굴에 가득하던 오만함을 억누르고 우울함과 진지함이 얼굴을 가득 채운다.

우리가 젊을 때는 주변 사람들이 우리에게 무엇이라고 하든 '인생이란 끝이 없다'고 생각하고 그 생각대로 시간을 보내지만, 나이가 들수록 시간을 아끼게 된다. 나이를 먹게 되면 하루하루를 보내는 것이 교수대를 향해 한 걸음 한 걸음 끌려가는 범죄자가 느끼는 감정과 비슷한 느낌이 들기 때문이다.

젊음의 관점에서 보면 인생이란 무한히 긴 미래이지만, 나이가 든 사람의 관점에서 그것은 아주 짧은 과거이다. 그래서 인생이란 처음에는 사물이 오페라 망원경의 렌즈를 바로 눈앞에 댄 것처럼 보이지만, 마지막에는 접안렌즈를 눈앞에 댄 것처럼 보이는 것이다. 그러니 인생이 얼마나 짧은지를 깨닫기 위해서는 늙어봐야, 즉 오래 살아봐야 한다.

그뿐만 아니라 나이가 들수록 인간 세상의 만사가 점점 더 하찮고 작게 여겨진다. 젊은 시절에는 시간 자체도 훨씬 더 느리게 흘러가기 때문에 인생의 첫 4분의 1은 인생에서 가장 행복한 시기일 뿐 아니라 가장 긴 시기이기도 하므로 그 어느 시기보다도 많은 추억을 남긴다. 그렇기에 나중에 추억에 대해 이야기를 할 때는 누구나 다음 두 시기를 합친 것보다 인생의 첫 4분의 1 시기에 대해서 할 이야기가 가장 많은 것이다.

그뿐 아니라 일 년 중 봄이 그러하듯이 인생의 봄도 하루하루가 피곤할 정도로 길 것이다. 일 년의 계절 중 가을과 인생의 계절 중 가을이 되면, 둘 다 하루가 짧아지지만 더 활기차고 안정적이고 한결같다.

오래 살수록 비례적으로 우리의 추억이 짧아지는 이유

어째서 노년기가 되어 자신이 이제껏 살아온 인생을 되돌아 보면 그토록 짧아 보이는 것일까? 추억할 거리가 별로 없어 기억이 짧아지기 때문에 인생도 짧게 여기는 것이다. 즉 사소하고 중요하지 않은 일과 불쾌했던 것들이 기억에서 전부 빠져나가버려 남아 있는 것이 별로 없게 된다.

일반적으로 우리의 지성이 매우 불완전한 것처럼 기억력도 마찬가지이다. 배운 것은 실행하고 지나간 것은 다시 떠올려야만 그 두 가지의 기억이 점차 망각의 심연에 가라앉지 않는다. 하지만 우리는 중요하지 않거나 불쾌한 일은 다시 떠올리지 않는 것이 일반적이다. 그러한 일을 기억에 계속 남겨두려면 자꾸 회상해야만 한다. 하지만 점점 무의미한 것들이 많아진다.

사소하고 중요하지 않은 것들이 계속 무수히 반복되면, 처음에는 우리에게 중요해 보였던 많은 일들이 점차 중요하지 않게 된다. 젊은 시절의 일을 나이가 들어서 일어난 일보다 더 잘 기억하는 것은 바로 그런 이유 때문이다.

그래서 우리가 오래 살면 살수록, 시간이 지나도 다시 떠올릴 만한 가치가 있을 정도로 의미 있게 여겨지는 사건은 더 적어진다. 인생의 사건들이나 일은 시간이 지나버리면 곧 잊어버린다. 이렇게 시간은 계속 흘러가고 점점 흔적은 사라지는 것이다.

게다가 우리는 불쾌한 경험이나 사건을 다시 떠올리는 것을 좋아하지 않는다. 그것이 우리의 허영심을 다치게 하는 것이라면 더욱 그렇다. 하지만 우리의 잘못은 전혀 없이 우리에게 고통이 닥치는 경우는 거의 없기 때문에 대부분의 불쾌한 사건들은 우리의 허영심을 다치게 하는 것이라 할 수 있다. 그리고 우리는 그것을 떠올리고 싶어 하지 않고, 그렇게 불쾌한 사건은 대부분 잊혀지게 된다. 우리가 오래 살수록, 그래서 경험이 늘어날수록 비례적으로 우리의 추억이 더더욱 짧아지는 이유는 이렇게 두 가지 방식으로 추억이 잘려져 나가기 때문이다.

젊을 땐 자신 앞의 여생이 왜 무한한 듯 길어 보일까?

젊은 시절에는 자신 앞에 놓인 인생이 왜 그렇게나 무한하게 길어 보이는 것일까?

첫 번째로는 한 사람 한 사람은 희망을 지니고 살고 그러한 희망은 한없이 무한한 것이어서 그것을 실현하기 위해서는 므두셀라(구약성서에 등장하는 므두셀라는 969세까지 살았던 인물로 장수의 상징임-옮긴이)마저 너무 일찍 죽었다고 할 수 있을 것이기 때문이다. 그리고 그러한 희망을 실현하기 위한 여지가 있어야 하기 때문이다.

두 번째로는 사람들은 이미 자신이 겪었던 지난 몇 년을 인생의 잣대로 생각하기 때문이다. 새로운 경험은 무엇이든 그것을 의미 있게 보이게 하기 때문에 별로 길지 않은 짧은 인생의 추억은 언제나 새롭고 신기해 오랫동안 겪었던 것처럼 느끼게 한다. 그렇기 때문에 모든 것을 나중에 떠올리고 회상하면서 기억 속에서 반복되고 그것이 기억에 새겨진다.

때때로 우리는 먼 고향으로 다시 돌아가고 싶다는 생각을 할 때가 가끔 있는데 그것은 실제로는 우리가 좀 더 젊고 활기로 가득 차 있던 시절, 그곳에서 보내던 그 시간을 그리워하는 것이다. 시간은 공간이라는 가면 아래에서 우리를 속인다. 막상 우리가 그곳으로 여행을 떠나보게 되면 우리는 속았다는 사실을 알게 된다.

서른여섯 살까지는
활력의 이자로 살아가는 우리

완전히 건강한 육체를 지닌 사람이 건강한 상태로 노년에 이르는 길은 두 개의 등불을 켜는 것으로 설명할 수 있다. 기름은 별로 없지만 심지가 얇아서 오래 타는 경우와 심지도 굵고 기름도 많아서 오래 타는 두 개의 등불이 있는 것으로 말이다. 다시 말해 기름은 생명력이고, 심지는 무수한 방법으로 그 생명력을 소모하는 것이라 할 수 있다.

서른여섯 살까지 우리는 활력이라는 면에서 그 활력의 이자로 살아간다. 활력이 다 떨어진다 하더라도 내일이면 다시 생긴다. 하지만 서른여섯이 지난 이후부터는 자신의 자본을 조금씩 파먹기 시작하는 연금수급자의 생활과 같아진다.

처음에는 이러한 변화와 문제가 전혀 눈에 띄지 않는다. 지출한 돈의 대부분이 늘 스스로 채워지기 때문이다. 이때 생기는 사소한 적자는 무시할 수 있을 정도이다. 하지만 이러한 적자가 점점 증가하고 늘어나게 되며, 적자가 생기는 크기도 하루가 다르게 매일 증가한다. 점점 그 속도가 빨라지고 모든 오늘은 늘 어제보다 가난해지는데, 이러한 상황을 멈출 희망은 그 어디에도 보이지 않는다. 따라서 바닥으로 떨어지는 물건처럼 감소하는 속도에는 가속도가 붙어 결국에는 아무것도 남지 않게 된다.

여기에서 예로 든 생명력과 함께 재산이 실제로 함께 눈 녹듯 사라지기 시작하는 경우는 참으로 슬픈 일이다. 나이가 들면서 소유욕이 강해지는 것은 바로 이런 이유 때문이다.

반면에 처음에는, 성인이 될 때까지 그리고 그 이후 한동안은 활력이라는 관점에서 우리는 조금씩 이자를 원금에 더하는 사람과도 같다. 그것은 지출한 원금이 저절로 복귀되는 것뿐 아니라 이자도 조금씩 붙어 점점 자본금이 불어나는 것이다.

아, 행복한 청춘이여! 아, 슬픈 노년이여! 그럼에도 불구하고 우리는 청춘의 힘을 아껴야만 한다.

나이가 들수록 삶을 덜 의식적으로 살아간다

어떤 사람은 청년기에는 활기차고 활동적이지만 그것으로 완전히 끝나버리는 경우가 있다. 반면에 어떤 사람은 노년기에 오히려 더 강해지고 활동적이기도 하다. 또 어떤 사람들은 나이가 들면서 경험이 풍부해지고 여유가 생겨 더 온화한 모습을 보여 남들에게 자신을 근사하게 표현하기도 하는데, 종종 프랑스인들의 경우가 그렇다. 이런 모습은 인간의 성격 자체에 젊은이의 모습과 장년기의 모습, 또 노인의 모습이 있어서 각 해당 나이가 되었을 때 이런 성격과 일치하거나 아니면 이런 성격과 맞지 않아 그것을 바꾸기 위해 반대의 행동으로 대응하기도 하기 때문이다.

배를 타고 갈 때 강가에 있는 사물이 점점 멀어지면서 그 모습이 점점 작아져 보이는 것으로 자신이 앞으로 나아가고 있다는 사실을 알아차리는 것처럼, 점점 나이를 먹어갈수록 다른 사람들이 젊어 보일 때 자신이 늙어가고 있다는 사실을 비로소 깨닫게 된다. 사람이 보고 행동하고 경험하는 모든 것이 나이가 들어갈수록 기억과 정신에 더 적은 흔적을 남긴다는 것은 이미 앞에서 자세하게 설명했다. 이런 의미에서 사람은 젊었을 때만 완전히 의식적으로 살며, 노년기에는 반쯤만 의식적으로 살아가는 것이라 말할 수 있겠다. 즉 사람은 나이가 들어갈수록 덜 의식적으로 삶을 살아가는 것이다.

수천 번 본 예술 작품은 그 어떠한 감동도 주지 못하는 것처럼 사물은 아무런 인상을 남기지 못하고 빠르게 스쳐 지나가 버린다. 사람은 해야 할 일을 하고 있지만 그 일을 했는지 알지 못한다. 그렇게 삶이 점점 더 무의식적으로 바뀌어버리고, 결국은 완전히 무의식의 상태로 돌진하게 되며 그렇게 시간의 흐름도 점점 빨라진다.

어린 시절에는 모든 대상과 사건이 새롭고 신기하므로 모든 것을 의식한다. 그래서 하루가 헤아릴 수 없이 길게 느껴진다. 우리는 여행을 할 때도 똑같은 일을 경험한다. 한 달 동안의 여행 기간이 집에서 보낸 넉 달보다 더 길게 느껴지는 것이다. 하지만 이처럼 사물이나 주위가 신기하게 느껴지더라도 어린 시절이나 여행할 때 길게 느껴지는 두 시간은 종종 노년기나 집에서 보내는 시간보다 실제로 '더 길어지는' 느낌을 받는 경우도 없지는 않다.

인생의 마지막에 이르러서야 내가 어떤 인간인지를 깨닫는다

우리 인생의 첫 40년은 본문을 제공하고, 그 다음 30년은 그것에 대한 주석을 제공한다. 이 주석은 본문의 도덕성 및 모든 미묘한 표현과 함께 텍스트의 진정한 의미와 맥락을 제대로 이해하는 것을 가르친다.

인생의 끝이 다가온 무렵은 가면을 벗어버린 가장무도회의 끝 무렵과 같다. 자신이 살아오면서 만나온 사람들이 실제로 누구였는지 마침내 확인할 수 있는 것이다. 성격이 드러나고, 행동들이 결실을 맺고, 업적이 정당한 평가를 받으며 모든 망상이 무너진다. 거기에는 그저 시간이 필요했던 것이다.

그러나 가장 이상한 일은 인생의 마지막에 다가가서야, 그제야 세상과 타인의 관계에서 자기 자신의 실체, 자신의 목표와 목적을 진정으로 인식하고 이해한다는 점이다. 항상은 아니지만 자주 예전에 생각했던 것보다 자신을 더 낮은 위치로 보아야 하는 경우가 있고, 때로는 더 높은 위치로 보아야 할 때도 있다. 이것은 세상의 천박함에 대해 충분한 생각이 없었기 때문에 세상보다 더 높은 곳에 자신의 목표를 두었기 때문이다. 그러다 우연히 당신이 어떤 인간인지를 깨닫게 되는 것이다.

열정이 행복을 가져올 수 없기에 노년기의 삶은 슬프지 않다

보통 젊은 시절을 인생의 행복한 시간으로, 노년기는 슬픈 시간이라고 부른다. 열정이 행복을 가져온다면 그것은 사실일 것이다. 젊은 시절에는 이러한 열정 때문에 이리저리 끌려 다니며, 기쁨은 적고 고통은 크다. 하지만 차가운 노년기가 되면 열정은 그들을 내버려둔다. 대신 노년기의 삶은 명상의 손길을 얻는다. 인식이 자유로워지고 우월적인 위치를 차지하기 때문이다. 이 인식은 그것 자체로는 고통이 없기 때문에 인식이 의식 속에서 우세할수록 인간은 더욱 행복해진다.

열정이 행복을 가져올 수 없고 어느 특정한 쾌락을 경험하지 못했다고 해서 노년을 한탄할 필요가 없다는 사실을 이해하기 위해서는 '모든 쾌락은 부정적이고 고통은 긍정적'이라는 사실을 염두에 두어야 한다. 모든 즐거움이란 어떤 욕구를 만족시키는 것일 뿐이기 때문이다. 욕구가 충족되면 더 이상 즐거움도 없어진다는 사실은, 식사를 한 후에는 더 이상 먹을 수 없고 잠을 푹 자고 난 뒤에는 깨어 있어야 한다는 것처럼 그렇게 한탄할 만한 일은 아니다.

노년기의 평정심이야말로 행복의 필수 조건이다

청년기는 고난의 시기이고, 노년기는 휴식의 시기이다. 이것만으로도 두 시기가 행복하게 생각하는 환경을 추측할 수 있을 것이다.

아직 어린아이는 눈앞에 보이는 형형색색의 온갖 물건을 가지고 싶은 욕심에 먼 곳으로 손을 뻗어 잡으려 한다. 아이의 감각기관이 아직 너무나 젊고 활기차고 어리기 때문에 이러한 사물에 자극을 받기 때문이다. 젊은 시절에는 이러한 현상이 좀 더 활발하게 나타난다. 그 역시 다채로운 세계와 다양한 형태에 큰 매력을 느낀다. 그의 상상력은 곧바로 세상이 줄 수 있는 것보다 더 많은 것을 만들어낸다.

그래서 청소년기에는 막연한 것에 대한 욕구와 갈망으로 가득 차 있다. 이러한 것들은 행복에 없어서는 안 되는 마음의 평온을 빼앗아가버린다.

하지만 노년기에는 모든 것이 안정적이다. 피가 차가워져서 감각기관의 과민성이 줄어들었기 때문이기도 하다. 그러나 부분적으로는 경험으로 인해 사물의 가치나 쾌락의 내용을 정확하게 알게 되어 예전에 사물의 가치에 대한 자유롭고 순수한 견해를 가리고 왜곡시켰던 환상이나 망상, 편견에서 벗어났기 때문이다. 이제는 모든 것을 예전보다 더 정확하고 더 명확하게 인식하고, 있는 그대로 받아들이며, 또한 어느 정도는 세상 모든 것의 올바름을 이해하게 된다. 거의 모든 노인, 심지어 아주 평범한 능력을 갖춘 사람조차 어느 정도는 지혜롭다는 인상을 주어 젊은 사람들과 구별되는 겉모습, 지혜로워 보이는 모습을 갖게 되는 것은 바로 이런 이유 때문이다.

이러한 것들은 노인들에게 정서적 안정을 가져온다. 이러한 평정심은 행복의 커다란 한 부분이며, 어쩌면 행복의 필수 조건이자 본질적인 요소이다.

Schopenhauer

2부

인생론

_ 온전한 삶을 위한 아포리즘

Schopenhauer

1장

죽음에 의해 소멸하지 않는다는 것에 대하여

죽음으로 전환하는 순간을
굳이 두려워할 필요는 없다

일상적인 주변 환경에 있는 많은 사람 중에서 모든 것을 알고 싶어 하지만 아무것도 배우려고 하지 않는 어느 한 사람에게 죽음 이후의 세계에 대해 묻는다면 가장 적절하고 가장 올바른 대답은 바로 이것일 것이다. "당신이 죽은 다음에 당신은 태어나기 이전의 상태로 되돌아갈 것이다."

이런 대답을 하는 사람들은 '시작이라는 처음이 존재하는 영혼들은 그 끝이 없어야 한다'는 왜곡된 인식을 가지고 있음을 암시한다. 그러한 대답에는 두 종류의 존재가 있을 수 있고, 그렇기 때문에 아무것도 없는 상태인 무(無)도 두 종류가 있을지 모른다는 암시가 포함되어 있다. 그래서 다음과 같이 대답할 수 있을지도 모른다. "당신이 죽은 뒤에 당신이 무엇이 되든 간에 – 설사 그것이 아무것도 아닌 것이라 하더라도 – 당신의 개인적인 존재가 유기체의 존재처럼 자연스럽고 적절한 존재일 것이다. 그러니까 기껏해야 죽음으로 전환하는 순간을 굳이 두려워할 필요는 없다. 그렇다, 이 문제를 잘 생각해보면 우리의 생존보다 비생존이 더 나을지도 모르는 결과를 낳는 것이다. 그러므로 우리의 존재가 사라진다는 생각, 우리가 더 이상 존재하지 않을 시간에 대한 생각은 우리가 결코 존재하지 않았을 것이라는 생각만큼이나 당연히 우리를 슬프게 할 수 없다. 이 존재는 본질적으로 인격적이기 때문에 인격의 종말을 손실로 간주해서는 안 되는 것이다."

다른 한편으로, 우리는 아마도 그의 이해와 일치하는 방식으로 가장 간단하고 경험적인 것을 제시할 수 있을 것이다. 우리가 그에게 물질과 일시적으로 그것을 소유하는 형이상학적인 힘의 차이를 그에게 명확하게 보여주면 그를 안심시킬 수 있을 것이다.

예를 들어 새알의 경우 매우 균질하고 형태가 없는 그 액체는 단순히 적절한 온도만 갖추어지면 새의 종과 속의 매우 복잡하고 정확하게 결정된 형태를 갖춘다. 이것은 어느 정도 일종의 발생적인 것이며, 어쩌면 시간을 거슬러 올라가다 보면 자신이 속하는 종의 동물에서 더 고차원적인 동물 유형으로 도약했을지도 모른다. 어찌 되었든 여기에서 가장 분명한 것은 원래 재료와는 다른 무언가가 나타난다는 것이다. 이것으로 알 수 있는 것은 작업이 완료되거나 나중에 방해를 받은 후에는 원래 재료와 다른 무엇이 마찬가지로 완전한 상태로 원재료로부터 제거될 수 있다는 것이다. 이것은 시간 속에서 원래 재료가 자신의 형태를 지속하는 것과는 완전히 다른 유형의 영구성이 있다는 것을 암시한다.

시간은 우리의 인식과 별개로 존재하지 않는다

우리가 모든 것을 인식하고 이해하고 그것에 대해 아는 존재가 있다고 상상한다면, 그에게 우리가 죽은 후에도 계속 존재하는지에 대한 질문은 아마 의미가 없을 것이다. 지금 현재 우리의 시간적·개별적 존재를 넘어서면 계속되는 것과 멈추는 것은 더 이상 의미가 없고 구별할 수 없는 개념이 될 것이기 때문이다. 그에 따르면 쇠퇴의 개념도, 연속성의 개념도 우리의 참된 본질이나 우리의 외모에 나타난 현상 그 자체에는 적용되지 않는다. 우리는 우리 모습의 핵심이 파괴되지 않는 것을 그 핵심의 지속으로 생각할 수 있을 뿐이다.

실제로 모든 형태가 변화하더라도 시간이 지나감에 따라 자신을 유지하는 물질의 모습에 따라 그렇게 생각할 수 있다. 그런데 이러한 모형의 지속이 거부되면 우리는 그것을 유지하는 물질이 사라질 때 나타나는 형태의 유형에 따라 그것을 현세의 소멸로 본다. 그러나 둘 다 모두 '다른 속으로 넘어가는 것에 불과하다'(아리스토텔레스, 〈천체에 관하여〉 1권 1장). 다시 말하자면 현상의 형태가 사물 자체로 옮겨간 것이다. 그러나 우리는 영원히 영속적이지 않을 불멸성이라는 추상적 개념조차 거의 만들 수 없다. 그것을 증명할 지식과 인식이 부족하기 때문이다.

그러나 사실 새로운 존재의 끊임없는 출현과 기존에 존재하던 존재의 소멸은 우리가 무언가를 볼 수 있는 두 개의 빛나는 렌즈(뇌의 기능) 장치에 의해 생기는 환상으로 여겨야 할 것이다. 시간과 공간, 그 두 가지의 상호적인 인과관계를 의미하는 이러한 조건에서 지각하는 것은 단순한 겉모습에 불과할 뿐이기 때문이다. 그러나 우리는 사물을 있는 그대로 알지 못한다. 시간은 우리의 인식과 별개로 존재하지 않는다. 바로 이것이 실제로 칸트 철학의 핵심이다.

진리와 정신이 세상에서 가장 무관심한 이들의 자발적인 도움을 받아 싸구려 사기꾼들이 사람들을 멍청하게 만드는 과정을 거쳐 철학을 독일에서 몰아낸 시기 이후로 칸트의 철학과 그 내용을 그다지 자주 떠올릴 수 없다. 철학을 몰아낸 이들은 진리와 정신은 별로 중요하지 않다고 생각하지만 반면에 월급과 원고료는 아주 중요하게 여긴다. 개체의 죽음에 관여하지 않는 것은 시간과 공간이라는 형식을 가지지 않는다. 말하자면, 현실적인 것들은 우리에게 그 모든 것이 시간과 공간 속에서 나타나지만 죽음은 우리에게 소멸이라는 형태로 그 모습을 드러내는 것이다.

인간은 생명을 가진 무가 아닌 그 어떤 것이다

사람들은 누구나 자신이 다른 사람에 의해 무에서 창조된 존재가 아닌 다른 존재라고 느낀다. 이것은 그에게, 죽음이 그의 삶을 끝낼 수는 있지만 그의 존재는 끝낼 수 없다는 확신을 준다. 인간은 생명을 가진 무가 아닌 그 어떤 것이다. 그리고 그것은 동물도 마찬가지이다.

자신의 존재가 현재의 삶에 국한된 것이라 생각하는 사람은 누구든지 자신을 생명력이 있는 무라고 여긴다. 30년 전에 그는 아무것도 아니었고, 30년이 지난 후에 그는 다시 아무것도 아니다.

자신의 내적 존재의 영원함을 더 명확하게 인식하는 방법

개개인의 사람은 모든 것의 나약함, 허무함, 꿈과 같은 본성을 더 분명히 인식할수록 자신의 내적 존재의 영원함을 더 명확하게 인식하게 될 것이다. 그 사물의 질은 실제로 다른 것들과 대조적으로 인식되기 때문이다. 이는 배의 내부는 들여다보진 못하지만 배가 떠난 곳을 바라본 뒤에 자신이 탄 배가 앞으로 빠르게 나아가는 것을 알아차리는 것과도 같다.

죽음에 대한 두려움을 느끼지 않고 하루하루를 살아가자

현재는 객관적인 것과 주관적인 것, 이렇게 두 부분으로 이루어져 있다. 객관적인 현재는 시간이라는 직관의 형태를 가지고 있으므로 멈출 수 없이 계속 굴러간다. 주관적 현재는 확고해 늘 동일하게 고정되어 있다. 여기에서 우리가 지나간 시간의 과거를 생생하게 기억하는 것, 그리고 존재의 덧없음을 인식하면서도 우리의 불멸을 의식하는 것은 그 때문이다.

그 어느 누구라도 우리가 살아 있는 한 자신의 가장 깊은 곳에 현재가 반영되어 있다고 생각한다. 우리는 항상 우리의 의식을 시간의 중심에 두고 결코 그 마지막을 생각하지 않으며, 이를 통해 우리는 '모든 사람이 자신 안에 무한한 시간의 움직일 수 없는 중심점을 지니고 있다'는 결론을 내릴 수 있다. 또한 이것은 기본적으로 인간이 죽음에 대한 두려움을 느끼지 않고 하루하루를 살아갈 수 있는 자신감을 주기도 한다. 그러나 자신의 기억력과 상상력의 힘으로 자기 인생에서 오래전에 일어난 일을 아주 생생하게 떠올릴 수 있는 사람은 누구보다도 현재의 정체성을 더욱 분명하게 인식할 것이다. 뿐만 아니라 어쩌면 이 명제는 그 반대가 더 정확할지도 모른다.

하지만 어찌 되었든 지금 이 모든 것의 동일성에 대한 더 명확한 의식은 철학적 성향에 본질적으로 꼭 요구되는 것이다. 그것을 통해 우리는 가장 덧없는 것인 현재를 지속하는 유일한 것으로 파악한다. 가장 좁은 의미에서 모든 실재의 유일한 형태인 현재가 우리 내부에 그 근원이 있다는 것, 그렇기에 외부가 아니라 내부에서 그 원천이 생겨난다는 것을 직관적으로 깨닫게 된 사람은 '자신의 존재가 파괴되지 않는다'는 사실을 의심하지 않고 믿는다. 오히려 그런 이는 '자신이 죽을 때 객관적 세계와 그것을 표현하는 매체인 지성이 그와 함께 소멸하지만 이것이 그의 존재에는 어떤 영향을 끼치지 않는다'는 것을 이해할 것이다. 그는 그러한 사실을 잘 이해하고 이렇게 말할 것이다. "나는 전에 존재했고, 지금 존재하고, 앞으로도 존재할 모든 것이다." (스토바에오스, 〈사화집〉)

죽는다는 것은 모든 생명이 왔던 곳으로 가는 것이다

죽는다는 것은 모든 생명이 왔던 곳으로 가는 것이다. 이집트인이 저승의 신인 오르쿠스를 아멘테스라고 부르는 것도 이런 맥락에서다. 아멘테스는 플루타르코스(《이시스와 오시리스에 대하여》 29장)에 따르면 "빼앗는 자이자 주는 자"라고 표현하는데 그것은 모든 것이 돌아가는 것과 모든 것이 나오는 것이 동일한 근원임을 표현하기 위한 것이다.

이러한 관점에서 보면 우리의 생명은 우리가 죽음으로부터 받은 대출로 여겨질 수 있을 것이다. 그렇다면 잠은 이 대출의 하루 이자가 될 것이다.

과거의 종족이 죽지 않았다면 내가 어떻게 존재할 수 있겠는가?

죽음은 어느 개체의 종말을 공개적으로 선언하는 것이지만, 이 개인 안에는 새로운 존재의 싹이 들어 있다. 그렇기 때문에 이제 죽는 모든 것 중에 영원히 죽는 것은 없는 것이다. 또한 태어나는 그 어떠한 것도 근본적으로 새로운 존재를 받아들이는 것은 아니다.

죽어가는 것은 사라지지만 거기에 하나의 싹이 남아 있어 거기에서 새로운 존재가 생겨난다. 그 새로운 존재는 자신이 어디에서 왔는지, 왜 그렇게 되었는지 알지 못한 채 새로운 삶 속으로 나오게 된다. 바로 이것이 환생의 신비다.

그 이후에 현재 이 순간을 살고 있는 모든 존재는 미래에도 살게 될 모든 존재의 실질적인 핵심을 포함하는 것이자, 그 미래의 존재가 어느 정도 지금 이미 존재하고 있다는 사실이 우리에게 분명해진다.

이와 마찬가지로 한창 전성기를 지나고 있는 모든 동물은 우리에게 이렇게 외치고 있는 것이나 마찬가지이다. "너는 왜 살아 있는 허무함에 대해 탄식하고 있는가? 내 이전에 존재했던 모든 종족이 죽지 않았다면 지금의 내가 어떻게 존재할 수 있겠는가?"

그에 따라 세계라는 무대에서 작품과 가면이 아무리 바뀐다 해도 배우는 언제나 변함이 없다. 우리는 함께 앉아 이야기를 나누고, 서로를 자극하고, 눈이 빛나며, 목소리는 더욱 크게 퍼져나간다. 천 년 전에도 이와 마찬가지로 다른 사람들이 앉아 있었다. 다시 말해 그것은 똑같은 상황이었고 똑같은 사람들이었으며, 천 년 후에도 마찬가지일 것이다. 이때 우리가 인지하지 못하는 장치는 바로 시간이다.

2장

생존의 허망함에 대하여

현실에서는 하찮은 현재라도 가장 중요했던 과거보다 우월하다

한 번 존재했던 것은 더 이상 존재하지 않는다. 이제까지 존재하지 않았던 것과 마찬가지로 존재하지 않는 것이다. 지금 존재하는 것은 바로 다음 순간에 이미 존재했던 것이 된다.

그렇기에 아무리 현실에서는 하찮은 현재라도 가장 중요했던 과거보다는 더 우월한 것이며, 현재와 과거의 관계는 유와 무의 관계와도 같다. 수천 년 동안이나 존재하지 않았던 사람이 갑자기 여기에 존재하고, 잠시 뒤 똑같이 오랜 시간 동안 다시 존재하지 않다가 어느 순간에는 갑자기 놀랍게도 존재하는 것이다.

가슴은 그것이 결코 옳지 않다고 말한다. 심지어 지성이 낮은 사람조차도 이런 종류의 고찰에서는 시간의 관념성을 어렴

픗이 느낄 것이다. 그러나 이러한 개념은 공간의 관념성과 아울러 모든 진정한 형이상학에 이르는 열쇠이다. 그것을 통해 자연과는 전혀 다른 사물의 질서를 위한 공간이 확보되기 때문이다. 칸트가 그토록 위대한 이유는 바로 이 때문이다.

매일 저녁이 되면 우리는 하루치만큼 더 가난해진다

우리 인생의 모든 과정은 아주 잠시만 '존재하는' 것일 뿐이고 그 다음에는 영원히 존재했다는 것이다. 매일 저녁 우리는 하루치만큼 더 가난해진다.

영원히 마르지 않는 샘이 있어서 우리의 생명의 샘을 끊임없이 채워줄 수 있다는 은밀한 의식이 우리 존재의 가장 깊은 곳에 자리를 차지하고 있지 않다면, 우리는 짧은 시간이 지나가는 것을 보고 분노에 휩싸이게 될지도 모른다. 이러한 생각을 바탕으로 현재를 즐기고 그것을 인생의 목적으로 삼는 것이 가장 큰 지혜라고 생각할 수 있을 것이다. 오로지 현실만이 실제로 존재하는 것이고, 다른 모든 것은 단지 정신적인 유희에 불과하기 때문이다.

하지만 이와 마찬가지로 그것을 가장 큰 어리석음이라고 부를 수도 있다. 다음 순간에 더 이상 존재하지 않는 것, 꿈처럼 완전히 사라져버리는 것을 두고 결코 진지하게 노력할 가치를 갖지 못하기 때문이다.

우리가 항상 추구하는
안정과 행복을 얻을 가능성은 없다

우리의 존재는 점점 사라져가는 현재 이외에는 그것을 기반으로 할 근거가 없다. 그렇기에 우리 존재에는 형식을 향한 끊임없는 움직임만 있을 뿐, 우리가 항상 추구하는 안정을 얻을 가능성은 없다. 그것은 마치 뛰어서 내리막길을 달리는 사람이 갑자기 멈추려고 하면 넘어질 수밖에 없기 때문에 계속 달려 균형을 잡고 서 있는 것과 비슷하다. 마찬가지로 손가락 끝에서 균형을 잡고 있는 막대기나 계속 앞으로 나아가는 것을 멈추면 태양으로 떨어지는 행성과도 같다.

그러므로 존재의 전형적인 모습은 '불안'이다. 세상에서는 그 어떠한 종류의 안정이나 지속적인 상태도 가능하지 않다. 모든 것이 불안한 소용돌이와 변화에 휘말리고 있으며, 모든 것이 빠르게 날아가고 움직이며 끊임없이 걸음을 내딛고 움직이면서 줄 위에서 균형을 유지하며 서 있는 상태다. 이런 세상에서는 행복이 존재할 수 없다.

플라톤이 이야기하는 '끊임없이 생성하지만 결코 존재하지 않는 곳'에서 행복은 살 수 없다. 사실 아무도 행복하지 않고 평생 행복이라고 가정되는 것을 추구하지만, 대체적으로 그것을 얻지 못하고, 얻는다 하더라도 실망만 남는다. 일반적으로 어느 누구나 결국 난파당해 돛대를 잃은 배처럼 항구로 돌아오게 되는 것이다. 그러나 영원하지 않은 현재로만 이루어진 삶이 끝나려 하는 순간에는 '행복했느냐 불행했느냐'의 여부가 별로 중요하지 않다.

삶에 대한 의지의 부정이 생존으로 가는 길을 연다

인간이나 동물이 그들의 세계에서 식욕과 성욕이라는 두 개의 단순한 원동력과 약간 더해진 권태라는 도움으로 그토록 다양하고 쉼 없이 움직이며 살아가는 것, 그리고 이 화려한 인형극을 움직이는 아주 고성능의 복잡한 기계의 원동력을 제공하는 것을 보면 놀라지 않을 수 없다.

여기서 조금 더 자세히 생각해보면, 무엇보다 유기물의 존재가 매 순간 화학적인 힘의 공격을 받고 결국 그 힘에 의해 파괴되는 것을 알 수 있다. 반면 유기물은 물질의 끊임없는 변화에 의해서만 가능한데, 이러한 변화는 끊임없는 유입, 즉 외부로부터의 도움을 필요로 한다. 그렇기에 그 자체로 유기체 생명은 손 위에서 균형을 잡은 막대와 같으므로 계속 움직일 수밖에 없고, 따라서 끊임없는 부족과 항상 되돌아오는 결핍, 끝없는 곤궁에 직면한다. 그렇지만 우리의 의식은 이러한 유기적 생명을 통해서만 가능하다. 따라서 이 모든 것이 끝없는 생존이다.

이와 반대되는 것은 무한한 생존을 생각해볼 수 있다. 그것은 외부로부터의 공격에 노출이 되지도 않고, 외부로부터의 도움도 필요로 하지 않는다. 언제나 변함없이 영원한 안식 속에서 생성하지도 흘러가지도 않고, 변화도 시간도 없고, 다수의 차이도 없다. (플라톤, 〈티메우스〉) 이러한 소극적인 인식이 바로 플라톤 철학의 기초이다. 삶에 대한 의지의 부정이 생존으로 가는 길을 여는 것임이 틀림없다.

인생의 마지막에 이르러서야 비로소 우리가 깨닫게 되는 사실

우리 인생의 장면은 거친 모자이크 그림과도 같다. 가까이 가서 바라보면 어떤 감흥도 느끼지 못하고, 멀리 떨어져서 보아야만 그 아름다움을 볼 수 있다. 그 때문에 갈망하던 것을 얻게 되면 그것이 헛되다는 것을 알게 되어 우리는 항상 더 나은 것을 기대하고, 동시에 과거에 지나간 것을 후회하는 심정으로 그리워한다. 반면에 현재는 당분간 일시적인 것으로 받아들일 뿐, 목표를 향한 길 이외의 다른 것으로 여기지 않는다.

그렇기 때문에 대부분의 사람은 인생의 마지막에 이르러서야 자신이 한평생 일시적인 삶을 살아왔음을 알게 된다. 사람들은 그렇게 그다지 주목하지 않고, 즐겁게 즐기지도 않고, 지나쳐 보내버린 것이 바로 기대에 차서 살아왔던 자신의 삶이라는 것을 깨닫고 놀라워할 것이다. 그래서 보통 인간의 삶의 행적은 희망에 속아서 죽음을 두 팔로 껴안고 춤을 추는 것이다.

그러나 개인의 의지는 무슨 수를 써서도 만족하지 않아 그것이 만족될 때마다 새로운 욕망을 낳기 때문에 개개인의 욕구는 영원히 충족되지 않은 채 무한대로 간다. 그것은 근본적으로 의지란 그 자체로 모든 것이 속해 있는 세계의 주인이므로 따라서 부분이 아니라 무한한 전체에 대해서만 충족될 수 있기 때문이다. 반면 세계의 주인인 이 의지조차도 개체의 개별적인 현상 속에서는 제대로 힘을 발휘하지 못해 대부분 그저 개체를 유지하는 정도에 그치는 것을 감안한다면 우리는 동정심을 느끼지 않을 수 없다. 그렇기에 그 개체는 깊은 고통에 빠진다.

인생의 과제는 생계를 해결해 목숨을 이어가는 것이다

온갖 종류의 열등한 것을 숭배하는 것으로 특징지어지는 현재는 정신적으로 아주 무기력한 시기이다. 마치 지금은 자기 자신을 그럴듯하게 보이는 자조적이고 가식적인 '현대'라는 용어로 자신을 아주 적절하게 묘사한다. 마치 현대의 현재가 홀로 존재한 다른 모든 현재를 포함하는 대표적인 바로 그 현재인 것처럼 말이다.

범신론자들도 인생이란 그들이 말하는 '자기 목적'이라고 말하는 것을 꺼리지 않는다. 우리의 존재가 세상의 궁극적인 목적이었다면, 그것은 우리가 그것을 정했든 혹은 다른 이가 그렇게 정했든 상관없이 지금까지 정해진 목적 중 가장 어리석은 목적이었을 것이다.

인생의 과제는 그 무엇보다 어떻게든 생계를 해결해서 자신을 보존하는 업무, 즉 목숨을 이어가는 것이다. 이러한 과제가 해결되면 그렇게 얻은 것은 부담이 된다. 그리하여 맹금류처럼 안전하게 살아가는 생명체를 노리다가 공격하는 무료함을 방지하기 위해 그 목숨을 처리해야 하는 두 번째 과제가 생긴다. 첫 번째 과제는 무엇인가를 얻는 것이고, 두 번째 과제는 그것을 얻은 후에 부담이 되지 않기 위해 첫 번째 과제에서 얻은 것을 느끼지 못하도록 하는 것이다.

욕구를 달성하면 고통이 없어지지만 곧 권태감에 사로잡힌다

인간 세계의 모습 전체를 하나로 모아서 바라보면 매 순간 위협하면서 들이닥치는 온갖 형태의 위험과 재난에 맞서 끊임없는 투쟁이 보이고, 생명과 생존을 위해 체력과 정신력을 다 소모하는 엄청난 악전고투가 보인다. 그러나 이러한 큰 노력의 결과로 얻는 대가인 생존과 목숨 그 자체를 자세히 살펴보면 그 사이사이에는 고통이 없는 생존의 순간이 몇 번 눈에 띄지만 그것은 곧바로 무료함의 공격을 받아 새로운 재난을 맞이하며 금방 끝난다.

이러한 재난의 뒤에 좀 더 영리한 동물마저 쉽게 사로잡히는 권태가 도사리고 있는 것은, 존재 자체에 진실하고 진정한 의미와 가치가 없으며 그의 삶이 그저 욕구와 착각에 의해서 움직이기 때문이다. 그러나 이러한 움직임이 멈추게 되면 곧바로 생존의 삭막함과 공허함이라는 전체적인 모습이 드러나버린다.

인간의 실존이 일종의 일탈인 것임에는 틀림없다는 것은 바로 인간은 욕구의 집합체이며 그의 욕구를 달성하기는 어렵다는 것을 보면 분명히 알 수 있다. 욕구를 달성하면 고통이 없는 상태가 되지만 그러한 상태에서 인간은 곧 권태감에 사로잡혀 버릴 뿐이다. 그렇게 되면 그 무료함은 우리 인생에는 아무런 의미가 없다는 것을 의미한다. 무료함이란 사실 그의 존재가 공허한 것이라는 느낌에 불과하기 때문이다.

우리의 존재와 생존이란 생명을 갈망하는 것에 그 본질이 있다. 생명 그 자체에 긍정적인 가치와 진정한 내용이 있다면 지루한 것은 아예 존재하지 않을 수 있다. 오히려 단순한 생존 자체가 우리를 충족시키고 만족시켜야 할 것이다.

우리가 생존을 즐기는 경우는 만족스러운 목표를 얻으려고 노력할 때나 또는 온전히 지적인 작업에 종사할 때이다. 중간에 장애물이 있지만 우리가 얻으려고 노력하는 먼 목표가 우리를 충족시킬 것으로 생각하는 것이다. 하지만 그것이 충족된 후에는 그러한 착각이 사라진다. 그러나 지적인 일에 몰두할 때 우리는 특별석에 앉은 관객처럼 외부에서 무엇인가를 바라보기 위해 실제의 삶에서 벗어나 있다. 심지어 감각의 쾌락마저 끊임없는 노력에 그 본질이 구성되어 있으므로 그 목표가 달성되자마자 멈추는 것이다.

그런데 우리는 이 두 가지 경우 중 하나에 얽매이지 않고 존재 자체로 되돌아갈 때마다 그 존재의 무의미함과 허무함을 깨닫게 된다. 우리 마음속에 타고난 경이로운 것에 대한 꺼지지 않은 갈망으로 인해 우리가 그토록 지루하고 자연스러운 자연의 진행 과정에 싫증을 느끼고 그것이 중단되는 것을 얼마나 기쁜 마음으로 보고 싶어 하는지를 보여준다.

또한 사회적 지위가 높은 사람들이 호화스러운 잔치를 벌이며 누리는 화려한 부귀영화도 기본적으로는 우리 존재의 본질적인 빈약함에서 벗어나려는 헛된 노력일 뿐이다. 자세히 들여다보면 보석과 진주, 깃털, 수많은 촛불 곁의 붉은 주단, 춤꾼과 곡예사, 가장무도회의 복장과 행렬 등은 대체 무엇이란 말인가?

3장

세상의 고뇌에 대하여

예외인 듯 보이지만
사실 불행은 일반적으로 규칙이다

우리 인생의 가장 가깝고 직접적인 목적이 고통이 아니라면, 우리의 존재는 이 세상에서 가장 그 목적에 부적절한 것이다. 삶의 끝없는 고통, 세상 어디에서나 가득 찬 고통을 아무런 목적 없이 그저 순전히 우연히 일어나는 일이라고 가정하는 것은 불합리하기 때문이다.

고통을 느끼는 우리의 감각은 영원한 것이지만 즐거움을 느끼는 우리의 감각은 좁은 한계에 갇혀 있다. 모든 각 개체의 불행은 예외인 것처럼 보이지만 사실 일반적으로 불행은 예외가 아닌 규칙이다.

우리를 괴롭히는 사소한 일만 생각하게 되는 이유

시냇물은 장애물을 만나지 않는 한 소용돌이를 일으키지 않는다. 바로 그것처럼 인간의 본성과 동물의 본성은 우리의 의지에 따라 모든 일이 진행되면 스스로 그것을 알아채거나 깨닫지 못하게 한다.

우리는 의지에 따라 진행되었을 때가 아니라 어떠한 장애물을 만났을 때 그러한 사실을 깨닫게 된다. 반면 우리의 의지에 반하는 것, 그 의지를 방해하고 저항하는 모든 것, 즉 불쾌하고 고통스러운 모든 것들을 우리는 직접적이고 즉각적으로 매우 명확하게 느낀다.

우리는 온몸이 건강한 상태는 느끼지 못하면서도 신발이 작아서 꽉 끼는 것 같은 작은 부위의 고통은 쉽게 느낀다. 그것처럼 우리는 완벽하게 잘 진행되고 있는 것은 생각하지 않으면서 우리를 괴롭히는 하찮고 사소한 일만 생각한다. 그것은 내가 자주 지적하듯이 고통은 적극적인 성격을 가지지만 행복과 평안함은 소극적인 성격을 가지고 있기 때문이다.

재난이라는 것은 소극적이지 않고 적극적인 것이다

나는 재난을 소극적인 것으로 설명하는 대부분의 형이상학적 체계보다 더 불합리한 것은 없다고 생각한다. 재난이라는 것은 적극적인 것이고, 자기 자신을 느낄 수 있게 만드는 것이자 좋은 것이다. 즉 모든 행복한 것과 욕구의 충족은 소극적인 것, 그저 욕망의 단순한 충족이자 고통의 소멸인 것이다.

우리가 즐거움은 원래 우리가 기대했던 것보다 훨씬 낮은 수준으로 생각하고, 고통은 우리가 생각했던 것보다 훨씬 더 높은 수준으로 생각한다는 데 나는 동의한다.

우리 개개인의 삶은 끊임없는 투쟁의 연속이다

인생에서 많은 불행을 겪을 때 가장 효과적인 위로는 우리보다 더 불행한 사람들을 바라보는 것이다. 이것은 어느 누구라도 할 수 있는 방법이다. 그런데 그렇게 되면 인간 전체에 어떠한 일이 벌어지겠는가?

우리는 도살업자가 희생양을 하나하나 고르고 있는 줄도 모르고 들판에서 천진하게 뛰노는 어린 양과도 같다. 우리가 행복한 날들을 보내고 있는 와중에도 운명이 바로 지금 우리에게 어떤 불행을 준비하고 있는지 전혀 알지 못하고 있는 것이다. 질병, 박해와 가난, 불구, 실명, 광기, 죽음과 같은 불행들 말이다.

역사는 우리에게 여러 민족의 삶을 보여주지만 전쟁이나 반란 외에는 별로 말할 것이 없다. 평화로운 시기는 짧은 휴식 시간이나 막간의 극으로 가끔 한 번 나타날 뿐이다. 이와 마찬가지로 개개인의 삶은 끊임없는 투쟁의 연속이다. 빈곤과 무료함과의 투쟁일 뿐 아니라 실제로 다른 사람들과의 투쟁이기도 하다. 인간은 가는 곳마다 자신의 적을 발견하고 끊임없는 투쟁 속에 살다가 손에 무기를 든 채 죽음을 맞이한다.

일, 고난, 노력, 고통은 인간이 평생 가지고 갈 운명이다

대기의 압력이 없으면 우리의 몸은 폭발해버리고 말 것이다. 그렇기에 인간의 삶에서 궁핍, 고난, 고통, 노력의 좌절 같은 압력이 없다면 사람들의 오만함은 폭발할 정도까지는 아니더라도 상당히 증가해 억제할 수 없는 어리석은 짓을 할 것이다. 다시 말해 광포한 행동을 하게 되는 것이다. 심지어 배가 안전하고 똑바로 나아가기 위해서 배에 싣는 밸러스트처럼 우리 인간에게는 항상 어느 정도의 걱정이나 고난, 고통이 필요하다.

일, 고난, 노력 그리고 고통은 대부분의 인간이 평생 가지고 가야 할 운명이다. 욕망이 생기자마자 성취된다면 인생을 무엇으로 채울 것이며, 어떻게 시간을 보낸다는 것인가? 모든 것이 저절로 자라고, 비둘기가 구워진 채 날아다니며, 모든 이가 열

렬히 사랑하는 여자를 만나 어려움 없이 손에 넣을 수 있는 젖과 꿀이 흐르는 땅에 인간을 옮겨놓으면 사람들 중 일부는 무료한 나머지 죽어 버리거나 목을 맬 것이고, 어떤 사람들은 서로 싸우고, 심지어 서로 목을 졸라 죽일 것이다. 그래서 지금 자연이 우리에게 가하는 고통보다 더 많은 고통을 맛보게 될 것이다. 즉 다른 환경이나 다른 인생은 인류에게 적합하지 않다.

얼마나 고통이 없었는가가 인간에게 있어 행복의 척도다

고통은 적극적인 성격을 가지고 있고 쾌락과 행복은 소극적인 성격을 가지고 있기 때문에, 어떤 사람의 인생이 행복했는지는 그가 얼마나 기쁨과 즐거움을 즐겼는가로 판단하는 것이 아니라 그가 얼마나 고통이 없었는가로 판단되어야 한다. 이렇게 보면 동물의 운명은 인간의 운명보다는 더 견딜 만한 것으로 보인다. 이 두 가지를 자세히 살펴보려고 한다.

인간은 행복과 불행을 추구하기도 하고, 그것에서 도망치려 하기도 한다. 인간의 행복과 불행은 너무나 다양한 형태로 나타나지만 그것의 물질적인 기초는 모두 육체적 쾌락이나 고통이다. 이러한 기초는 매우 협소하다. 그것은 건강, 음식, 습기와 추위로부터의 보호, 성적인 만족이거나, 아니면 이러한 것들의 부족이다. 결론적으로 인간은 동물 이상으로 실제적인 육체적 즐거움을 누리지 못한다고 할 수 있다. 더욱 강화된 신경계가 모든 쾌락의 감각뿐 아니라 고통에 대한 감각을 높여주는 것이다. 하지만 그 안에서 일어나는 감정의 변화는 동물의 감정보다 얼마나 더 격렬한가! 인간의 마음은 비교할 수 없이 깊고 격렬하게 움직인다. 그렇지만 그 결과로 얻는 것은 건강이나 음식, 보호할 장소에 불과하다.

이러한 일이 일어나는 이유는 무엇보다 인간은 지나간 일과 다가올 일을 생각하므로 모든 일이 크게 증폭되어 나타나기에, 이를 통해 걱정이나 두려움 또는 희망이 생겨나는 경우 실제의 행복이나 고통보다 더욱더 커지기 때문이다.

그러나 동물은 언제나 현재 실제의 쾌락이나 고통을 느낄 뿐이다. 말하자면 동물에게는 반성 작용으로 즐거움과 고통을 담아두는 응축기가 없기 때문에 인간처럼 기억과 예견을 통해 그것을 축적할 수 없다. 동물은 고통을 되풀이해 계속 겪어도 현재의 고통만을 느낄 뿐이다. 그마저도 고통이 차례로 다가온다 하더라도 현재의 고통만을 느끼며 그것을 더할 수 없는 것이다. 그렇기에 동물은 부러울 정도로 걱정이 없고, 마음의 평정심을 유지한다.

하지만 인간은 반성과 그것에 의존하는 다른 심리적 작용 때문에 동물들이 갖는 쾌락이나 고통이라는 요소에서 더 발전해 행복과 불행이라는 더욱 진화된 감정을 가진다. 그 결과로 환희에, 때로는 치명적이기까지 한 환희에 사로잡힐 수도 있고, 심지어는 절망에 빠져 자살을 감행할 수도 있다.

그럼에도 불구하고 모든 사람들은 자신이 잘 살기를 바란다

아주 어린 시절에 우리는 앞으로 다가올 인생을 앞두고 미래에 다가올 일에 대해 즐겁고 긴장된 기대 속에서 마치 무대의 막이 오르길 기다리는 모습과도 같았다. 다행스럽게도 우리는 실제로 어떤 일이 일어날 것인지 알지 못한다. 그 사실을 아는 사람이 볼 때 아이들은 때때로 아무 죄가 없는 죄수와도 같을 것이다. 그는 사형선고 대신 종신형을 선고받았지만 아직 판결의 내용은 모르고 있다.

그럼에도 불구하고 모든 사람들은 자신이 잘 살기를 바란다. 하지만 그것은 다음과 같은 글의 내용과도 같은 상태인 것이다. "오늘은 나쁜 날이다. 그리고 매일매일 더 나빠지다가 결국은 최악의 상황이 올 것이다."

"나는 인생을 견뎌냈다"라는 말이 아주 멋진 표현인 이유

태양 아래서 벌어지는 모든 종류의 괴로움, 고통, 불행을 계산하는 것이 얼추 가능하다고 한다면, 그 총합을 대략적으로 상상해보면, 태양이 지구나 달에 생명의 현상을 불러일으킬 수 없고, 지구와 달의 표면이 수정과도 같은 상태에 있는 편이 훨씬 더 나았으리라는 것을 인정할 것이다.

우리는 우리의 인생을 무(無)라는 축복받은 고요한 상태를 불필요하게 방해하는 사소한 일로 이해할 수 있다. 어쨌든 인생을 그럭저럭 참을 만하다고 느낀 사람들조차 오래 살수록 그것이 전반적으로 실망과 속임수, 기만, 혹은 독일어로 표현하자면 사기까지는 아니더라도 커다란 기만의 성격이라는 것을 더욱 분명하게 깨닫게 된다.

어린 시절의 두 친구가 평생 떨어져 살다가 노인이 되어 다시 만나게 된다면, 그들은 서로의 모습을 보며 예전의 기억을 떠올리고는 인생 전체에 실망을 느낄 것이다. 한때 그들의 인생은 청춘의 장밋빛 아침햇살을 받아 그들 앞에 너무나 아름답게 펼쳐져 있었으며, 많은 것들을 약속했고, 앞날은 자신만만했다. 그들은 서로 다시 만나 이러한 감정에 강하게 지배되어 자신의 인생을 말로 표현할 생각도 하지 않을 것이다. 너무 많은 것이 약속되어 있었으나 너무나 적게 이루어졌다. 그러한 것을 암묵적으로 전제하고 이러한 배경 위에서 자신의 인생에 대해 계속 말할 것이다.

자손의 2세대 또는 3세대까지 체험하는 사람은 박람회 기간 동안 노점에 계속 자리를 잡고 앉아 각종 곡예사들의 공연을 두세 번 잇따라 되풀이해서 바라보는 구경꾼과도 같은 기분이 들 것이다. 말하자면 그런 공연은 단 한 번만 보는 이들을 위한 공연으로 벌이는 것이기 때문에 속임수나 신기함이 사라진 후에는 아무런 효과를 거두지 못하는 것이다.

가난과 탄식의 무대이자, 적어도 우리에게 알려진 견본에 의해 판단해보더라도 가장 행복한 경우에는 지루함을 던져줄 뿐인 세상을 비추는 일밖에는 하지 않는 별들, 말하자면 방대한 우주와 무한한 공간에서 무수히 반짝이는 별들을 바라보면 우리는 미칠 것 같은 기분이 든다. 세상에 부러워해야 할 사람은 전혀 없는 한편, 몹시 슬퍼해야 할 사람은 셀 수 없을 정도로 많다.

인생이란 어떻게 해서든 마무리를 해야 하는 어려운 과업과도 같다. 이러한 의미에서 볼 때 "나는 인생을 견뎌냈다"라는 말은 아주 멋진 표현이다.

이 세상을 고행의 장소로 보는 데 익숙해지자

늘 인생의 방향을 가리키는 확실한 나침반을 손에 쥐고, 길을 잃지 않고 항상 인생을 올바로 바라보기 위해서는 이 세상을 하나의 고행의 장소로 보는 데 익숙해지는 것보다 더 유용한 것은 없다. 말하자면 형벌의 장소로, 작업장으로 이 세상을 보는 습관을 들이는 편이 좋다.

이미 먼 옛날의 철학자들 역시 이 세계를 그렇게 불렀다. 클레멘스 알렉산드리아누스의 〈스트로마타〉, 그리고 기독교 교부 철학자들 사이에서 오리게네스는 칭찬할 만한 대담한 대답으로 그 문제에 대해 말했는데 이것은 아우구스티누스의 〈신국론〉에 나와 있다. 나의 철학뿐 아니라 브라만교나 불교, 엠페도클레스나 피타고라스 같은 모든 시대의 현인들의 주장을 보더라도 그러한 의견이 이론적으로나 객관적으로 옳다는 것을 알 수 있다. 또한 키케로 역시 옛 현자나 비밀 종교 의식에서 이렇게 말했다. "우리가 이 세상에 태어난 것은 전생에 저지른 특정한 잘못을 속죄하기 위해서이다."(《철학 단편》)

이러한 주장을 가장 강하게 표현한 이는 자신의 주장을 번복하지 않고 결국 화형당한 바니니였다. 그는 이렇게 말했다. "인간의 삶은 숱한 큰 고통으로 가득해 나는 기독교 교리에 위배되지 않는다면 감히 다음과 같은 주장을 할 것이다. 악마들이 있다면 그들은 인간의 몸으로 매인 채 죄에 대한 속죄를 할 것이다."(《놀라운 신비스러운 자연에 대하여》)

기독교에서도 우리의 존재를 죄의 결과, 실수의 결과로 이해한다. 그러한 습관을 받아들이면 사람들은 인생에 대한 기대치를 그 성질에 알맞게 설정할 것이며, 그에 따라 인생에서 일어나는 크고 작은 역경과 고통, 고뇌, 곤궁을 규칙에 위배되는 예상치 못한 것으로 생각하지 않고 완전히 정상적인 것이라 생각할 것이다.

4장

박식함과 학자에 대하여

돈을 벌고자 가르치는 교사, 지위를 얻고자 배우는 학생

가르치고 배우기 위한 다양하고 많은 학교와 수많은 학생, 교사들을 보면 사람들은 인류에게 통찰력과 지혜가 아주 중요하다고 생각하는 듯하다. 하지만 그렇게 보이기만 할 뿐 실제로는 그렇지 않다.

교사들은 돈을 벌기 위해 가르치고 있다. 즉 그들은 지혜를 얻으려 노력하는 것이 아니라 그 지혜의 겉모습을 따를 뿐이다.

학생들은 지식과 통찰력을 얻기 위해 배우는 것이 아니라, 잘난 척을 하고 사회적 지위를 얻기 위해 배운다. 그들은 아는 것이 아무것도 없는 초보자이면서 인류가 수천 년을 거쳐 모은 지식의 결론을 그 개요만 간추려서 아주 빠르게 흡수하고, 그러고서는 이전 세대의 그 누구보다도 현명해지려고 한다. 그들은 이러한 목적을 가지고 대학에 입학해 책을 잡지만 그마저도 그들의 동시대나 동년배의 최신 서적에 한정되어 있을 뿐이다. 그들 자신에게 새로운 내용이듯이 모든 것이 짧고 새로울 뿐이다. 고작 그저 그런 지식으로 그들은 여기저기 마구 평가를 내리기 시작한다.

저렇게나 읽은 책이 많으면서도 생각은 그렇지를 못하다니!

나이가 적거나 많은 것과는 전혀 상관없이 모든 부류의 대학생과 대학 교육을 받은 자들은 대체적으로 지식을 얻으려고만 할 뿐 통찰력을 기르려고는 하지 않는다. 그들은 온갖 종류의 암석이나 식물, 온갖 전쟁과 실험 혹은 온갖 종류의 책에서 지식을 얻는 것을 명예로 삼는다. 그들은 그러한 지식은 통찰력을 얻기 위한 단순한 수단일 뿐이고, 그 자체로는 어떠한 가치도 없다는 것을 미처 생각하지 못한다.

아는 체를 많이 하는 사람들에게서 아주 인상적인 박식함을 접하게 되면 나는 종종 이렇게 혼잣말을 한다. "저렇게나 읽은 책이 많으면서도 생각은 그렇지를 못하다니!"

중년의 플리니우스는 식탁에서나 여행 중이거나 혹은 욕실에 있더라도 늘 책을 읽거나 소리 내어 낭독을 했다고 전해진다. 이러한 이야기를 들으면 그는 생각이 그리도 부족해서 마치 만성 질환에 시달리는 사람이 생명을 연장하기 위해 콩소메를 먹듯이 끊임없이 남의 생각을 공급받아야만 했는지 하는 의문이 생긴다. 스스로 판단력이 없고 다른 사람의 말을 그대로 믿는 그의 태도가 이루 말할 수 없이 역겹고 이해하기도 어려울 뿐 아니라 종이를 아끼려고 하는 그의 조악한 짜깁기를 한 듯한 문체도 독자적인 사고에 대해 높이 평가하기에는 적당하지 않다.

대부분의 책들이 이루 말할 수 없이 지루하기만 한 이유

수많은 독서와 배움이 자신의 사고력을 중단시키듯이 많은 글쓰기와 가르침 역시 지식과 이해에 대한 명확성과 정확함의 습관을 자연스럽게 없애버린다. 명확성과 정확함을 가질 시간이 없기 때문이다. 그래서 대부분의 학자들이 강의를 할 때 명확한 인식이 부족한 것을 언어와 그 미사여구로 채우려고 한다.

대부분의 책들이 이루 말할 수 없이 지루하기만 한 것은 주제 그 자체가 지루하기 때문이 아니라 바로 이러한 이유 때문이다. 훌륭한 요리사는 낡고 더러운 구두 밑창으로도 훌륭한 요리를 만들어낼 수 있듯이 훌륭한 저자는 무미건조한 주제도 재미있게 만들 수 있다.

위대한 일을 이루어내려면 학문 그 자체가 목적이 되어야 한다

대부분의 학자들에게 학문은 그 자체로 목적이 아니라 수단일 뿐이다. 그 때문에 그들은 어떠한 위대한 일도 결코 해내지 못할 것이다.

위대한 일을 이루어내기 위해서는 학문 그 자체가 목적이 되어야 하며, 다른 그 어떠한 것, 즉 생계는 그저 수단에 불과해야만 한다. 학문 자체를 위해 하지 않는 것은 완벽하지 않을 수 있기 때문이다. 그 어떠한 유형의 일이든 그것 이외의 다른 목적을 위한 수단이 아니라 그것 자체를 위한 목적으로 행해질 때만 진정으로 훌륭한 결과를 얻을 수 있다.

이것과 마찬가지로 타인의 인식을 신경 쓰지 않고 어떤 활동의 직접적인 목적에 대해 자기 자신만의 인식을 얻는 자만이 새로우면서도 훌륭한 기본적 통찰이 가능할 것이다.

그러나 대부분의 학자들은 가르치고 책을 쓸 목적으로 학문을 탐구할 뿐이다. 그래서 그들의 머릿속은 음식물을 제대로 소화시키지 않고 다시 내보내는 위나 장과 같을 뿐이고, 그 때문에 그들의 가르침과 글은 그다지 유익하지 않다. 제대로 소화시키지 않고 내보낸 것이 아닌, 자신의 피 같은 노력에서 나오는 젖이어야만 다른 이들에게 유익한 영양분이 될 수 있다.

5장

독자적 사고에 대하여

사고의 능력이 있는 학자는 학자 중에서도 극소수에 불과하다

아무리 책의 권수가 많은 도서관일지라도 제대로 정리가 되어 있지 않은 곳은, 책의 권수는 얼마 되지 않더라도 정리가 잘된 도서관보다 효용성이 없는 것처럼 인간의 지식도 마찬가지이다. 아무리 지식이 많은 사람일지라도 자신의 생각으로 철저하게 정리된 지식이 아니라면, 그 양은 훨씬 적더라도 충분하게 숙고된 지식만큼의 가치가 없는 것이다.

알고 있는 지식을 모든 면에서 조합하고 모든 진리를 다른 진리와 비교해 자신의 지식을 완전히 자신의 것으로 만들어야만 그 지식을 자신의 의지대로 활용할 수 있게 된다. 알고 있는 것이어야만 충분히 숙고할 수 있기 때문에 우리는 늘 무엇인가를 배워야만 한다.

그렇다고 충분히 생각한 것을 정말로 안다고 할 수도 없다. 우리는 본인의 뜻대로 읽기와 배움에 힘쓸 수 있지만 우리의 생각은 사실 우리의 뜻대로 되지 않는다. 말하자면 불에 공기를 넣어 더 크게 일으켜줘야 하는 것처럼 사고도 크게 일으켜줘야 하는 것이기 때문에, 그 사고의 대상에 대한 관심을 일으켜 그것을 계속 유지시켜주어야 한다.

이러한 관심은 객관적인 것일 수도 있고 혹은 그저 주관적인 것일 수도 있다. 주관적인 것은 우리가 개인적인 문제를 만나게 되었을 때 생겨나는 것이지만, 객관적인 것은 선천적으로 사고하는 두뇌를 타고난 사람에게 생기는 것으로 이들에게는 그러한 것이 숨 쉬는 것만큼이나 자연스러운 일이다. 하지만 그러한 두뇌를 타고나는 사람은 아주 드물기 때문에 학자 중에서도 사고의 능력이 있는 학자는 극소수에 불과하다.

너무 많은 독서는 독자적 사고력을 갖지 못하게 한다

독자적인 사고력이 그의 의식에 미치는 영향과 독서가 그의 의식에 미치는 영향 사이에는 사실 믿을 수 없을 만큼의 큰 차이가 존재한다. 원래 사람들마다 두뇌의 차이가 존재해서 어떤 사람은 독자적인 사고에 이끌리고 또 다른 사람은 독서에 이끌리게 되는데, 그 차이로 인해 두 가지가 의식에 미치는 영향력은 한없이 커진다.

말하자면 독서는 우리가 일시적으로 가지고 있는 어떠한 생각의 방향이나 기분, 너무 낯설고 이질적인 생각을 마치 도장을 찍어가듯 우리의 생각에 강요하는 것이 있어서 이러한 때에 우리의 의식이 전혀 그럴 생각이 없거나 그럴 마음이 들지 않는 때에도 종종 어떤 때에는 이러한 것을, 또 다른 때에는 저러한 것을 생각하도록 강요하는 것이다.

반면 독자적인 사고력은 우리의 의식이 어떤 순간에 외부의 환경 혹은 예전의 어떤 기억에 이끌리는 상황이 될지라도 자신의 의지를 따르는 것이다.

다시 말하자면 구체적인 어떤 환경은 독서와는 달라서 특정한 생각을 의식에 강요하는 것이 아니고, 단지 자신의 본성과 그 당시의 기분에 맞는 것을 생각하도록 그 재료와 계기를 만들어주는 것일 뿐이다. 그러므로 용수철 위에 무거운 짐을 계속 놓아두면 그 탄성을 잃게 되듯이 너무 많은 독서를 하면 정신의 탄성을 전부 빼앗기게 된다.

그러니 시간이 난다고 해서 그때마다 아무 책이나 손에 잡는 것은 자신의 독자적 사고력을 갖지 못하게 하는 가장 확실한 방법일 것이다. 학식을 쌓게 되면 될수록 일반적으로 사람은 원래 자신의 모습보다 더 둔감하고 단조로워지게 되고, 그들의 저서가 결국 실패로 돌아가는 것 역시 이러한 독서 습관 때문이다. 그들은 이미 알렉산더 포프가 말한 상태에 도달한 것이다. "모두의 머릿속에는 산더미 같은 책이 담겨 있어 끊임없이 읽고 있지만 도무지 읽히지 않는다." (포프, 〈우인열전〉)

그저 책만 많이 읽은 사람과 세상이라는 책을 읽는 사람

학자들은 책을 많이 읽은 사람들이다.

반면에 사상가, 천재, 세상의 사람들을 가르쳐주는 자, 인류를 후원하는 자는 직접적인 세상이라는 책을 읽은 사람을 뜻한다.

독서를 통해 얻은 타인의 생각은 결코 내 것이 아니다

자신의 기본적인 사상에만 진리와 생명이 피어난다. 우리는 우리 자신의 것만을 온전하게 제대로 이해하기 때문이다. 독서를 통해 얻은 다른 사람의 생각이란 다른 사람이 먹다 남긴 음식이나 다른 사람이 입다가 버린 옷에 불과하다.

우리의 생각에서 일어나는 자신의 생각과 책에서 읽은 다른 사람의 생각과의 관계는 마치 봄이 되어 꽃을 피우는 식물과 돌멩이 안에 들어 있는 고대 시대의 식물 화석과의 관계와도 같다.

생각의 샘이 말라버렸을 때만 독서를 해야 한다

그저 독자적인 인식의 대용품에 불과한 것으로 독서를 하면 자신의 생각이 다른 사람의 생각에 끌려 다니게 된다. 만약 우리를 이끌어가는 것이 책이라고 한다면 얼마나 많은 책 속에 얼마나 많은 미로가 존재하는지, 얼마나 나쁜 결과로 이끌 수 있는지를 증명하는 것에 불과할 것이다. 그러나 수호신의 인도를 받는 사람들, 즉 독자적으로 생각하고 자발적으로 판단하며 올바르게 사고하는 사람들은 이미 옳은 길을 알려주는 나침반을 갖고 있는 셈이다.

그러므로 자기 생각의 샘이 말라버렸을 때만 독서를 해야 한다. 아주 뛰어난 두뇌를 지닌 사람이라 할지라도 종종 그러한 경우가 생길 수 있기 때문이다.

이와는 다르게 그저 책을 손에 들기 위해서 본질적으로 자신이 지니고 있던 생각의 힘을 쫓아내는 행동은 성령에 대해 큰 죄를 짓는 것이다. 그런 사람들은 말린 식물 표본을 보거나 혹은 동판화 속의 아름다운 경치를 보기 위해 야외에서 벗어나는 사람과도 같다.

독자적인 생각으로 알아낸 것이 엄청난 가치가 있다

독자적인 생각으로 알아낸 것들은 책에서 단순히 그냥 얻은 것에 비해 100배는 더 가치가 있다. 독자적인 생각으로 얻어낸 진리는 꼭 필요한 부분이자 살아 숨 쉬는 우리 사고 전체의 구성요소로 우리 세계로 들어와 온전하고 확고하게 자리를 잡는 것이고, 거기에서 나온 근거와 결론을 완전히 이해해 우리 전체의 생각과 색깔, 형식과 특징을 만들어주기 때문이다. 또한 이러한 진리는 아주 확실한 위치를 차지하고 있기 때문에 꼭 필요하다고 생각할 때 반드시 때를 맞추어 나타나고, 두 번 다시는 사라져버리는 일이 없다. 괴테의 시 구절은 이러한 내용을 가장 완벽하게 설명하고 있다. "조상에게서 물려받은 것을 소유하려면 그대가 그것을 획득하라." (괴테, 〈파우스트〉 682행)

사상가와 단순한 학자의 차이는 독자적인 인식을 하느냐다

독자적인 인식을 하는 이는 자신의 생각이 가지고 있는 권위를 시간이 흐른 뒤에야 깨닫게 되는데, 그렇게 되는 때에 그 권위는 자신의 생각에 큰 힘을 실어주는 데 도움을 주게 된다.

하지만 책에만 의지하는 철학자는 다른 사람들에게서 얻은 생각들을 모아 새로운 하나의 체계 전체를 만들게 되고, 그들은 그러한 견해에서 출발해야 하는 것이다. 그러니 그 체계는 당연히 서로 다른 재료들로 조립한 로봇과 같지만, 반면에 독자적인 인식으로 만든 체계는 갓 태어난 생명력이 가득한 인간과도 같다. 전체의 사고 체계가 생겨나는 방식은 인간이 태어나는 방식과 비슷하기 때문이다. 즉 외부 세계가 생각하는 정신을 수태하게 한 뒤 그 정신이 그러한 체계를 품고 있다가 세상으로 태어나는 것이다.

단순하게 습득한 지식은 그저 마치 의수나 의족 혹은 의치나 밀랍으로 만든 코, 기껏해야 다른 사람의 피부로 성형 수술을 한 코처럼 그저 우리의 몸에 붙어 있는 것일 뿐이다. 반면에 독자적인 인식으로 얻은 지식과 진리는 자연스러운 우리의 수족과도 같은 것이어서 그것이야말로 진정한 우리의 소유가 된다. 사상가와 단순한 학자의 차이도 바로 이러한 차이에서 비롯된다.

그러므로 독자적인 인식을 하는 사람의 정신적 습득은 적당한 빛과 그림자의 조합, 은은한 색, 색깔의 아름다운 조화로 생생한 한 폭의 훌륭한 그림처럼 보인다. 반면에 단순한 학자의 정신적 습득물은 알록달록한 색으로 가득하고, 체제가 정돈되어 있기는 하지만 조화와 연관성의 의미가 전혀 없는 커다란 물감 팔레트와도 같다.

다른 사람의 생각은 다른 사람의 정신에서 싹튼 것이다

독서는 자신의 머리로 생각하는 것이 아니라 다른 사람의 머리로 생각하는 것을 의미한다. 그런데 자신만의 생각으로 확고하게 완료된 체계는 아니라 할지라도 늘 연관성 있는 전체 체계를 발전시키려고 할 때 끊임없는 독서로 인해 다른 사람의 생각이 강하게 흘러 들어오는 것만큼 불리한 작용을 하는 것은 없다. 다른 사람의 생각은 전부 다른 사람의 정신에서 싹튼 것이라 자신의 정신적 체계에 속하는 것과 다른 색채를 띠고 있어 자신의 사고와 지식, 통찰과 확신의 전체 체계에 저절로 속하게 되는 일은 절대 일어나지 않으며, 오히려 머릿속에 가벼운 언어의 혼란을 일으키고 온갖 명확한 통찰력까지 빼앗아버려 정신세계를 거의 해체시켜버리기 때문이다.

많은 학자들이 지금 이런 상태에 있는 것을 알 수 있는데, 그들이 상식이나 올바른 판단, 실제적으로 타인에 대한 배려라는 측면에서 오히려 그다지 많이 배우지 못한 사람들보다 뒤떨어지는 것은 바로 이 때문이다. 이들은 경험이나 대화, 얼마 되지 않는 독서로 외부에서 얻게 된 보잘것없는 지식을 늘 자신의 정신으로 받아들이고 그것에 동화된 것이다.

그런데 학문적 사상가도 보다 큰 범위로 이러한 일들을 하고 있다. 말하자면 이들은 많은 지식을 필요로 하기에 더 많은 책을 읽어야만 하지만, 그의 정신은 이 모든 일들을 해내면서 동시에 지식을 자신의 사상 체계로 흡수시켜 끊임없이 커지는 자신의 거대한 통찰력과 유기적으로 연결되어 있는 세계 전체에 그 지식을 종속시킬 정도로 충분히 강력한 것이다.

이러한 때에도 사상가 자신의 생각은 파이프 오르간의 기본이 되는 저음처럼 늘 다른 모든 음을 지배하면서 동시에 결코 다른 음에 묻히는 일은 생기지 않는다. 하지만 단순하게 지식이 많기만 한 사람은 온갖 음계로 이루어진 누더기 같은 음이 갈팡질팡하기 때문에 기본 저음을 더 이상 들을 수 없게 된다.

평생을 독서하며 보낸 사람과 평생을 생각하며 보낸 사람

평생을 독서를 하며 보내고 여러 책에서 지혜를 얻은 사람은 여행 안내서만 잔뜩 읽고 그 나라에 대한 지식을 얻은 사람과도 같다. 이런 사람들은 많은 정보를 줄 수는 있지만, 그 나라에 대한 정확한 사정과 한눈에 파악할 수 있을 정도로 명확하고 분명한 지식을 가지고 있지는 못하다.

이와는 반대로 평생을 생각하며 보낸 사람은 직접 그 나라에 다녀온 사람과도 같다. 이러한 사람만이 그 나라의 진짜 모습을 알고 있으며, 그곳의 문제를 한눈에 꿰뚫고 있고, 진실로 그곳의 사정에 훤하게 되는 것이다.

책을 읽느라 현실 세계의 모습을 완전히 외면해선 안 된다

그 어느 때라도 책상에 앉아 책을 읽을 수는 있지만, 생각은 그렇게 할 수 없다. 생각은 마치 사람과도 같아서 언제든지 내가 원할 때 불러낼 수 있는 것이 아니라 그들이 나오기를 간절하게 기다려야만 한다. 다행히 외적인 목적이나 내적인 기분, 긴장이 서로 조화를 이루게 되어 좋은 연관성을 가지게 되면 저절로 어떠한 대상에 대해 생각할 수밖에 없게 된다. 하지만 어떤 사람들에게는 그것이 좀처럼 마음대로 되지 않는 것이다.

개인적으로 우리의 이해관계가 얽힌 문제에 대해 생각해보면 이러한 것을 쉽게 설명할 수 있다. 우리는 어떠한 사건에 대해 큰 결심을 해야 할 때 내키는 대로 아무 때에나 자리에 앉아 많은 심사숙고를 거친다고 해서 바로 결정을 내릴 수 있는 것이 아니다. 그러한 때에 우리의 생각은 바로 그 문제에 집중되는 것이 아니라 다른 쪽으로 벗어나버리기 때문이다. 어떤 때에는 그 문제 자체에 거부감을 가지고 있어 그런 경우가 생기기도 한다. 그럴 때는 생각을 억지로 강요하지 말고, 저절로 그걸 할 만한 기분이 생길 때까지 기다려야만 한다. 의도하지 않게 갑자기 그러한 생각을 하고 싶은 기분이 들기도 하는 것이다.

이러한 과정들은 결심이 충분히 익을 때처럼 아주 느리게 진행된다. 힘든 과제는 나누어서 처리해야만 하기 때문이다. 그렇게 함으로써 이전에는 미처 못 보고 지나친 것들이 다시 문득 떠오르기도 하고, 또 명확하게 주시하다 보면 그 문제가 대부분 사실은 훨씬 견딜 만한 것으로 생각되기도 해 반감은 줄어들 것이다.

한편 이론적인 문제에서도 생각과 마찬가지로 적당한 때가 오기를 기다려야 한다. 아무리 뛰어난 두뇌의 소유자라 할지라도 항상 독자적인 생각을 할 수 있는 능력을 갖춘 것은 아니기 때문이다. 그러니 독자적 생각의 대용품이자 우리의 정신에 재료를 제공해주는 독서는 남는 시간을 이용하는 것이 유익하다.

독서를 하면 늘 우리가 생각하던 방식으로, 즉 독자적으로 생각하는 것이 아니라 다른 사람이 생각하던 방식으로 생각하게 된다. 바로 이런 이유 때문에 너무 많은 독서를 하지 않는 것이 좋다. 정신이 그 대용품에 길들여져서 생각하는 법 그 자체를 잊어버리지 않게 하기 위해서다. 그렇기에 우리의 정신이 이미 다른 삶이 밟아서 다져진 길에 익숙해지지 않도록 하기 위해서, 또 다른 사람의 사고의 과정을 따라가느라 자신의 사고의 과정이 생소해지지 않도록 하기 위해서도 독서를 너무 많이 하지 않아야 한다. 독서를 할 때보다 현실 세계를 바라볼 때 독자적인 생각을 할 기회가 늘어나고 그럴 기분이 훨씬 많이 들게 되므로 책을 읽느라 현실 세계의 모습을 완전히 외면하는 일은 없도록 해야 한다. 본래의 순수성과 힘을 지닌 구체적인 것과 현실적인 사물은 사고하는 정신의 아주 자연스러운 대상이라서 아주 쉽게 우리의 정신을 깊게 자극할 수 있기 때문이다.

이러한 깊은 고려에 따르면 독자적인 생각을 하는 사람과 책에만 의지하는 철학자는 이미 그 말솜씨에서 쉽게 구별될 수 있다고 해도 그리 놀랄 일은 아닐 것이다. 즉 독자적인 생각을 하는 사람은 진지하고 직접적이며 근원적인 특징이 있고, 모든 생각과 표현에 독창성이 있다. 하지만 책에만 의지하는 철학자는 전부 다른 사람의 손을 통한 것이며, 개념도 다른 사람들의 개념을 받아들인 것이기 때문에 중고품만 잔뜩 모아놓은 것과 다름이 없다. 그래서 복제품을 다시 복제한 것처럼 희미하고 흐릿하다. 게다가 틀에 박힌 진부한 상투어와 시류를 타는 유행어로만 이루어진 문체는 직접 화폐를 주조하지 않아 무조건 외국 동전만 사용하고 있는 작은 나라와도 같다.

단순한 경험 역시 독서처럼 생각을 대신하지는 못한다

단순한 경험 역시 독서처럼 생각을 대신하지는 못한다. 순수한 경험과 생각의 관계는 마치 음식을 먹는 행위와 소화나 동화 작용의 관계와도 같다. 만약 자신이 발견한 순수한 경험에 의해서만 그의 지식이 늘어난 것이라고 자랑스럽게 생각한다면, 그것은 마치 나의 입이 나의 활동에 의해서만 다른 신체가 존재하는 것이라고 자랑하는 것과 마찬가지이다.

독자적인 생각을 하는 사람들은 군주와도 같다

진실로 능력이 있는 사람들의 작품은 단호함과 확실함, 그리고 거기에서 나오는 분명함과 명확한 성격으로 인해 다른 사람들의 작품과는 분명하게 구별이 된다. 그 사람들은 자신이 무엇을 표현하려고 하는 것인지를 언제나 정확하고 확실하게 알고 있기 때문이다. 이것은 글이나 시, 음악의 경우에도 마찬가지일지 모른다. 그러나 다른 이들에게는 이 단호함과 확실함이 부족하기 때문에 그것으로 곧바로 그들을 알아낼 수 있다.

최상급의 정신을 지닌 소유자들의 특징적인 자질은 바로 그들 모두가 자신이 직접 판단을 내린다는 것이다. 그들이 제시하는 의견은 전부 그들 스스로가 생각해서 내린 결론이기 때문에 그 어디에서나, 그들의 말솜씨를 통해서라도 그러한 사실이 명확하게 드러난다. 그래서 그들은 마치 독일 제국에 직속된 영주들처럼 정신의 제국에 직속되어 있다. 하지만 나머지 사람들은 모두 영주에게 속박된 상태로 있는데, 이러한 사실은 독자적인 특징이 없는 그들의 문체로 미루어보면 알 수 있다.

이런 점에서 보면 진실로 독자적인 생각을 하는 사람들은 군주와도 같다. 그들은 모든 일들을 자신이 직접 결정하고, 자신을 넘어서려는 사람들은 그 누구도 인정하지 않는다. 군주의 결정처럼 자신의 판단은 그의 절대적인 권력에서 나오는 것이고 바로 그 자신에게서 시작하는 것이다. 군주가 다른 사람의 명령을 인정하지 않는 것처럼 독자적인 생각을 하는 사람은 다른 권위를 인정하지 않고, 자신이 허락한 것 말고는 그 어떠한 것도 효력을 인정하지 않기 때문이다. 반면에 온갖 형태의 지배적인 의견과 권위, 편견에 사로잡힌 저급한 두뇌의 소유자는 법이나 명령에 묵묵히 복종하는 민중의 모습과도 같다.

내게 부족한 통찰력을 남의 것을 동원해 메꾸지 마라

해결하지 못한 문제를 권위 있는 사람의 말을 인용해 판별하는 것을 매우 좋아하거나 겨우 그렇게 해결하는 데 조급한 사람들은, 자신에게 부족한 분별력과 통찰력을 다른 사람의 것을 동원해 메꾸는 것을 몹시 기뻐한다. 그러한 사람들은 헤아릴 수 없을 정도로 많은데, 그것은 바로 세네카의 말처럼 "누구나 스스로 판단하기보다 오히려 남의 말을 믿으려고 하기"(《행복한 삶에 관하여》) 때문일 것이다.

그러므로 그들이 논쟁을 벌일 때 즐겨 사용하는 무기는 바로 권위이다. 그들은 권위라는 무기를 들고 서로 맹렬하게 싸움을 벌인다. 어쩌다가 우연히 이러한 논쟁에 휘말린 사람이 어떤 근거나 증거를 들어 반대 의견을 주장한다고 해도 아무

소용이 없다. 그런 이들은 스스로 판단할 능력이 없는, 피에 몸을 담근 불사신 지크프리트와 같기 때문이다. 그래서 그들은 '경외감을 일으키는 증거'로서 그 권위를 앞세우고는 '승리'를 외칠 것이다.

인간은 아주 넓은 의미에서만 생각하는 존재로 부를 수 있다

생존의 문제, 이 애매하고도 괴로우며 허무한 꿈같기도 한 생계에 관한 문제는 사실 너무나 크고 절박한 문제이다. 이러한 문제를 잘 이해하는 사람은 이 문제의 크기와 절박함을 깨닫는 순간 다른 모든 문제의 크기와 절박함은 무색해질 정도이다.

몇몇 굉장히 드문 경우를 제외하면 대부분의 모든 사람들은 이 문제에 대해 명확히 인식하고 있지 않고, 심지어 몇몇은 전혀 깨닫지도 못하고 있는 듯 보인다. 그들은 오히려 이것과는 전혀 다른 문제들을 걱정하며, 그저 오늘의 일이나 자신에게 아주 가까운 장래의 일만 생각하면서 하루하루를 살아갈 뿐이다. 그러면서 그들은 이 문제를 일부러 피하거나 이것과 관련한 형이상학적인 체계와 기꺼이 타협하면서 그럭저럭 만족하며 살아간다.

이러한 점을 생각해볼 때 우리는 인간이라는 존재가 아주 넓은 의미에서만 생각하는 존재로 부를 수 있다는 의견을 갖게 될지도 모른다. 그런 이후에는 깊은 생각이 없고 단순한 특징이 나타나더라도 그리 놀라지 않을 것이며, 오히려 일반적인 인간의 지적인 시선이 사실 동물의 시선을(미래나 과거를 인지하지 못하는 동물들은 오직 현재에만 그 존재를 한정 짓고 있다.) 넘어서고 있기는 하지만, 우리가 흔히 생각하는 것처럼 도저히 예측하기 힘들 정도로 넓은 것은 아니라는 사실을 알게 될 것이다.

그래서 어떨 때는 심지어 대화를 하는 순간에도 대부분 사람들의 생각이 마치 잘게 썬 짚처럼 짧게 끊어져버려 더 긴 사고의 실을 이어내지 못한다.

6장

독서와 책에 대하여

품위 없는 무지한 부자는 마치 짐승과도 같다

무지한 사람이 부유한 사람이 되면 비로소 무지가 인간의 품위를 떨어뜨리게 된다. 가난한 사람은 자신의 가난과 궁핍에 옥죄어 있고, 그럴 경우에는 성과가 지식을 대신하기 때문에 가난한 사람은 어떠한 성과를 내겠다는 목적에 몰두한다. 반면에 무지한 부자는 그저 자신의 욕망에 따라 살아가기 때문에 마치 짐승과도 같다. 우리는 이러한 자들을 매일 볼 수 있다.

스스로 생각할 능력을 잃게 만드는 독서의 폐해를 조심하라

독서는 자기 스스로 생각하지 않고 다른 사람이 대신 생각해 주는 것으로, 우리는 그 사람의 생각에서 일어나는 과정을 따라잡는 것에 지나지 않는다. 이는 학생이 글쓰기를 배울 때 선생이 미리 연필로 그어놓은 선을 따라 그리는 것과도 같다. 그러한 과정을 따라 책을 읽을 때 우리는 거의 스스로 생각을 하지 않게 된다. 독자적인 생각을 하다가 독서를 하면 마음이 훨씬 가벼워지는 것은 바로 이러한 이유 때문인데, 결국 책을 읽는 동안 우리의 머릿속은 다른 사람의 생각이 뛰어노는 놀이터로 전락해버리게 된다. 그러한 생각이 물러가고 나면 남는 것은 과연 무엇이란 말인가?

거의 하루 종일 책을 읽다가 사이사이 멍하게 시간을 보내면서 휴식을 취하는 사람은 이런 이유 때문에 스스로 생각할 능력을 점차 잃어버리게 된다. 그것은 마치 늘 말을 타고 다니는 사람이 결국 걸어 다니는 법을 잊어버리는 것과 같은 것이다. 하지만 매우 많은 학자들의 실상은 사실 이러한 상태이다. 그들은 책을 너무 많이 읽어 바보가 되어버렸다. 시간이 날 때마다 책을 읽는 생활을 계속 유지하는 것은 수작업을 계속하는 생활보다 더 정신을 마비시키기 때문이다.

적어도 손으로 하는 수작업을 할 때는 자신의 생각에 집중할 수 있다. 하지만 용수철이 다른 물체로부터 계속 압력을 받으면 탄력을 잃어버리듯이, 다른 사람의 생각이 끊임없이 떠오르면 결국 그 정신도 탄력성을 잃고 만다. 음식을 너무 많이 섭취하면 위 건강을 해치고 결국 그 때문에 몸 전체의 건강을 해치게 되는 것처럼, 정신도 자양분을 지나치게 많이 섭취하면 영양 과잉으로 결국 질식해버리고 만다. 책을 많이 읽으면 읽을수록 그 책을 읽었던 흔적이 정신에 그만큼 적어지기 때문이다. 이것은 말하자면 우리의 정신에 쓰인 글씨를 아직 지우지 않고 그 위에 다시 글씨를 겹쳐서 써놓은 칠판처럼 되어버려 예전에 읽었던 것을 다시 떠올리지 못하게 되는 것이다.

음식을 먹는다고 해서 무조건 우리 몸의 영양분이 되는 것이 아니라 소화를 시켜야만 되는 것처럼, 다시 떠올리고 되새겨야만 읽었던 내용이 자신의 것이 되는 것이다. 그러나 끊임없이 책만 읽고 나중에 그것을 다시 생각하지 않으면 책으로 읽었던 내용이 내 안에서 뿌리를 내리지 못하고 대부분 그냥 사라지고 만다.

보통 일반적으로 정신의 양식도 육체의 양식과 마찬가지로 섭취한 양의 50분의 1 정도만 흡수가 되고, 나머지는 증발이나 호흡 또는 그 외의 일들로 그냥 사라져버린다. 이러한 모든 일 외에도 사실 종이 위에 적힌 생각은 모래밭에 찍힌 사람의 발자국과 별반 다르지 않다. 그 사람이 걸어간 길은 알 수 있지만, 그가 그 길을 걸으면서 무엇을 보았는지를 알아보기 위해서는 자신이 직접 자신의 눈으로 보아야만 한다.

선천적인 재능이 없다면 독서를 해도 천박한 모방자가 된다

저술가들은 보통 설득력, 다채로운 비유와 비교, 표현의 대담함과 신랄함, 간략한 표현력과 우아함과 경쾌함, 대조의 기술과 소박함과 같은 특징이 있다. 그런데 이러한 재능이 있는 저술가의 책을 읽는다고 해서 우리가 그러한 재능을 얻을 수는 없는 것이다. 하지만 그러한 재능을 우리의 자질이나 잠재력의 형식으로 이미 가지고 있는 경우에는 독서를 통해 우리 내면에 자리하고 있는 그러한 재능을 불러 일깨우고, 또 우리로 하여금 그러한 재능을 인식하게 해 그 재능을 통해 무엇이든지 해보려 할 마음을 만들어준다. 그런 재능을 발휘해보려고 하는 기분 혹은 용기로 힘을 얻은 다음에야 실제로 사용해보고 그 효과를 판단해 비로소 올바른 사용법을 익히게 되는 것이다.

이러한 과정을 거치고 나서야 우리는 비로소 그러한 재능을 실제로 소유하게 된다.

독서를 통해 글 쓰는 방법을 배우려면 이러한 방식밖에는 없다. 즉 독서는 우리 스스로가 지닌 선천적인 재능을 활용하는 방법을 우리에게 가르쳐주지만, 그러나 여기에는 이미 우리에게 그러한 천부적 재능이 있어야 한다는 전제가 필요하다. 그러므로 이러한 재능이 없는 사람은 독서를 한다고 하더라도 그저 차갑고 쓸모없는 기술만 익힌 천박한 모방자가 되는 것에 불과하다.

굳은 화석이 되어버린 도서관의 위대한 책들

지각의 층이 지난 세기 생물의 모습을 차곡차곡 보존하고 있는 것처럼 도서관의 서가 역시 과거의 오류와 그것이 기록된 글이 차례대로 보존되어 있다. 이러한 글들은 지난 세기의 생물과 마찬가지로 그 당시에는 큰 활약을 보이며 큰 주목을 끌었지만, 이제는 굳은 화석이 되어 문헌을 연구하는 고생물학자만이 살펴볼 뿐이다.

두꺼운 도서 목록을 보면서 눈물을 흘리게 되는 이유

헤로도토스가 전하는 바에 따르면, 페르시아의 대왕 크세르크세스는 헤아릴 수 없이 많은 자신의 대군대를 바라보며 100년 후에는 이 모든 사람 중 아무도 살아남은 사람이 없을 것이라는 생각에 눈물을 흘렸다고 한다.

두꺼운 도서 목록을 보면서 이 모든 책 중에 10년 후에도 읽힐 책이 단 한 권도 남아 있지 않으리라고 생각한다면 어느 누구라도 눈물을 흘리고 싶을 것이다.

우리의 독서법에서는
읽지 않는 기술이 매우 중요하다

현대의 문필가와 출판업자, 작가들이 이 시대의 고상한 취향과 참된 교양을 외면한 채 상류 세계 전체를 고삐로 잡아 바깥으로 끌어내어 자신들의 글을 읽도록 길들이는 데 성공한 것은 사실 지독하고 교활한 짓이기는 하지만 어떤 면에서는 눈부신 성과라 할 수 있다. 이제 상류 사회의 사람들은 그들의 사교 모임에서 대화의 소재로 삼기 위해 모두가 최신 저작인 같은 책을 읽지 않을 수 없게 되어버린 것이다.

이러한 목적에 딱 들어맞는 책으로 이전의 슈핀들러, 불버, 오이겐주에 등과 같이 한 시절을 풍미했던 작가들이 썼던 수준 낮은 소설 같은 것들이 있다. 이러한 통속 소설을 읽는 독자들의 운명만큼이나 비참한 것이 어디 있겠는가!

이 독자들은 단순히 돈 때문에 글을 쓰고 그렇기 때문에 어디에나 존재하는 너무나 평범한 작가의 최신 졸작을 읽는 것을 늘 자신들의 의무로 생각한다. 정작 시대와 역사를 뛰어넘어 존재하는 귀하고 훌륭한 작가의 작품은 그저 이름만 알고 있을 뿐이다.

무엇보다 미학적인 감각을 지닌 독자는 진정한 예술 작품을 읽고 그것을 통해 자신의 교양을 높이는 데 이용해야 한다. 그런 귀한 시간을 평범한 작가들의 질 낮은 졸작을 읽는 데 낭비하도록 생각해낸 교활한 수단이 바로 이러한 통속 소설을 싣는 일간 신문이다.

사람들은 보통 그 어느 시대를 통틀어 보더라도 최고의 작품이 아니라 늘 최신 작품만 읽기 때문에 저술가들은 유통이라는 좁은 범위의 이념에 갇혀 있고, 그 시대는 늘 자신의 오물에 점점 파묻혀버리고 만다. 그래서 우리의 독서법에서는 읽지 않는 기술이 너무나도 중요하다. 이 기술은 아무리 많은 독자의 관심을 끄는 작품이라 하더라도 바로 그 이유 때문에 그 책을 손에 잡지 않는 것에 있다. 예를 들어 출판 즉시 출판계에 큰 파문을 일으키다 그 해에 몇 판을 찍고 그것으로 끝나버리는 정치적인 저서, 문학 저서, 소설, 시 따위를 사보지 말아야 한다.

오히려 늘 별로 길지 않은 시간이라 하더라도 일정한 시간을 독서에 할애해 모든 시대와 민족을 초월해 그 어느 인류보다 위대하고 탁월한 정신의 소유자이자 명성이 드높은 작가의 작품만을 읽는 것이다. 이러한 작품만이 진정으로 우리에게 교양과 깨우침을 준다.

수준 낮은 책은 많이 읽게 되지만, 좋은 책은 자주 읽지 못한다. 질 낮은 책은 정신에 독약이나 마찬가지여서 우리의 정신을 파멸시킨다. 좋은 책을 읽기 위한 조건은 질 낮은 책을 읽지 않는 것이다. 인생은 짧고, 시간과 우리의 힘은 한정되어 있기 때문이다.

그저 새로 출판된 책만 읽는 현대의 멍청한 독자들

예전의 위대한 작가들을 논평한 책이 나오면 독자들은 그 책은 사서 읽지만 그 작가들의 저술 자체는 읽지 않는다. 독자들은 그저 새로 출판된 책만 읽으려고 한다. 끼리끼리 어울리는 것처럼 오늘날의 멍청이들이 지껄이는 진부하고 수준 낮은 잡담이 위대한 정신의 생각보다도 독자의 수준과 흥미에 잘 맞아떨어지기 때문이다.

그러나 나는 슐레겔이 젊은 시절에 썼던 멋진 구절을 미리 접하고 그것을 나의 좌우명으로 삼을 수 있었던 운명에 감사한다. "열심히 고전을 읽어라, 진정으로 참된 고전을! 최근에 나온 글은 그다지 중요하지 않으니." (《고대 연구》)

위대한 정신의 소유자가 쓴 책을 책꽂이에 방치하면 안 된다

아아, 어떤 평범한 인간은 다른 평범한 인간을 어쩌면 그다지도 닮았단 말인가! 그들은 어쩌면 모두 하나의 틀에서 만들어진 것인가! 그 어느 누구라도 같은 상황에서 다른 생각은 전혀 떠오르지 않고 전부 같은 생각만 떠오른다는 말인가! 게다가 그들 개개인은 저급한 의도를 지니고 있다. 멍청한 독자는 새로 출판된 신간이라는 이유로 그런 처량한 영혼의 보잘것없는 잡담을 읽으면서도 위대한 정신의 소유자가 쓴 책은 책꽂이에 고이 모셔둔다.

시대와 나라를 뛰어넘은 고귀하고 더없이 위대한 정신의 소유자가 쓴 작품을 읽지도 않고 방치하는 독자의 어리석음과 그 불합리함은 도저히 믿을 수 없을 정도이다. 그 대신 일반적인 독자는 단순히 갓 인쇄되고 잉크가 채 마르지 않았다는 이유만으로 매일같이 나오는 평범한 졸작만 매년 파리떼처럼 수없이 생겨나는 그런 졸작만 읽으려고 한다. 이런 작품은 몇 년만 지나고 나면 영원히 지나간 시대와 함께 그 시대의 어리석은 생각을 비웃는 대상이 될 뿐이기 때문에 출판되는 그날부터 멀리하고 영원히 무시하는 것이 좋다.

상당히 드문 참된 저작물만이 영원한 저서가 된다

어느 시대를 막론하고 몹시 낯선 상태로 나란히 존재하는 두 가지 형태의 저서가 있다. 하나는 참된 저작물이고, 다른 하나는 겉보기에만 그럴듯한 저작물이다.

참된 저작물은 영원한 저서가 된다. 학문이나 시문학을 위해 살아가는 사람들에 의해 쓰인 이 참된 작품은 진지하고 조용하며, 또 아주 느린 걸음으로 나아간다. 그래서 이런 작품들은 한 세기를 통틀어 유럽 전체에서 12권도 채 나오지 않았지만 영원히 존재한다.

반면에 겉보기에만 그럴듯한 학문이나 시문학으로 생계를 이어가는 사람들이 만든 그런 저작물은 그들 스스로 큰소리로 야단법석을 떠는 가운데 아주 빠른 속도로 앞으로 내달린다.

그런 작품은 매년 수천 작품씩 시장에 쏟아져 나온다. 하지만 얼마 지나지 않아 사람들은 그것들이 다 어디로 사라졌냐고, 그렇게나 처음부터 떠들썩하던 그 명성은 다 어디로 사라졌냐고 되물을 것이다. 그러므로 이러한 저작물들은 일시적인 저작물들에 불과하고, 참된 저작물이야말로 영원한 저작물이라 부를 수 있다.

책 내용을 내 것으로 만드는 것과 책을 구입하는 것을 혼동하지 마라

만약 책을 읽는 시간도 함께 구입할 수 있다면 책을 구입하는 것이 좋은 일일지도 모른다. 하지만 일반적으로 사람들은 책을 구입하는 것과 그 내용을 자신의 것으로 만드는 것을 혼동하고 있다.

어떤 사람이 자신이 지금까지 읽었던 모든 것을 그대로 간직하기를 바라는 것은 마치 지금까지 자신이 먹은 모든 것을 전부 체내에 담고 있기를 바라는 것과 같은 일이다. 그가 먹은 음식으로 인해 그의 육체는 살아 있는 것이고, 그가 읽은 것에 의해 정신적으로 살아서 현재의 자기 자신이 된 것이다. 하지만 육체가 자신과 동질적인 것만을 그 안으로 동화시키는 것처럼, 모든 사람은 자신이 흥미를 느끼는 것 그리고 자신의 생각이나 그 목적에 맞는 것만 간직한다.

누구에게나 자신의 목적은 있지만 그것과 자신의 사고 체계가 비슷한 사람들은 극소수이다. 그래서 대부분은 어떠한 것에도 객관적인 흥미를 느끼지 못하고, 그 때문에 그들에게는 아무리 독서를 한다고 해도 남는 것이 없게 된다. 그들은 읽은 것을 그 어떠한 것도 간직하지 않는다.

중요한 책은 그것이 무엇이든 곧바로 두 번 읽는 것이 좋다

"반복이란 연구의 어머니이다." 중요한 책은 그것이 무엇이든 곧바로 두 번 읽는 것이 좋다. 그래야만 사물의 맥락을 좀 더 잘 파악할 수 있으며, 끝을 알고 있으면 그제야 처음 부분을 제대로 이해할 수 있기 때문이다. 그뿐 아니라 두 번째 읽을 때는 처음 읽었던 것과는 다른 감정과 기분을 느끼게 되므로 전혀 다른 인상을 받게 된다. 그것은 같은 대상을 다른 각도로 보는 것과도 같다.

옛 고전을 읽는 것보다
더 나은 방법은 존재하지 않는다

어떠한 하나의 작품은 정신의 결정체라 할 수 있다. 그렇기 때문에 작품은 제아무리 위대한 정신의 소유자라 할지라도 그의 인간관계에 비해 늘 비교할 수 없을 정도로 풍부한 내용을 담고 있으며 그것은 본질적으로 그 인간관계를 대체할 수 있는 것이다. 즉 작품은 그것을 쓴 정신을 훨씬 능가한다고 볼 수 있다. 이것은 심지어 평범한 사람이 쓴 작품일지라도 유익하고 읽을 가치가 있으며 재미도 있을 수 있다는 것을 의미한다. 그것은 그 사람의 정신의 결정체이자, 그 사람의 생각과 연구의 결과이자 결실이기도 하기 때문이다.

반면에 그 사람의 인간관계는 우리를 만족시킬 수 없다. 그러므로 우리가 그 사람의 인간관계에는 만족하지 않더라도 그 사람의 저서는 읽을 수 있는 것이고, 이러한 이유로 정신적 교양이 점점 높아지면 이제는 더 이상 사람이 아니라 책에서 즐거움을 느끼게 될 것이다.

정신을 위한 기분전환을 위해서는 옛 고전을 읽는 것보다 더 나은 방법은 존재하지 않는다. 고작 반 시간에 불과할지라도 고전 작가의 한 작품을 읽으면 곧 생기를 느끼게 되고, 마음이 홀가분해지고, 힘이 솟아나고, 기분이 밝아지는 것을 느낄 수 있다. 이것은 마치 바위틈에서 솟아나는 신선한 물을 마시고 기분이 상쾌해지는 것과도 같다. 고전어와 그것의 완벽함 때문일까? 혹은 몇천 년이 지나도 훼손되지 않은 작품과 약화되지 않은 정신의 위대함 때문일까? 어쩌면 이 두 가지가 함께 작용했을지도 모른다.

문학과 예술의 역사는
모두 즐겁고 명랑하다

두 가지의 역사, 즉 정치의 역사와 문학과 예술의 역사가 존재한다. 정치의 역사는 의지의 역사이고, 문학과 예술의 역사는 지성의 역사이다.

정치의 역사는 보통 불안과 두려움을 일으키는 것이다. 말하자면 정치의 역사는 말로 표현하기 어려운 불안과 궁핍, 속임수와 끔찍한 살인으로 가득 차 있다. 하지만 문학과 예술의 역사는 잘못된 길을 들어서서 헤매는 순간조차도 고독한 지성처럼 그 어느 부분이라도 모두 즐겁고 명랑하다.

이러한 문학과 예술의 역사에서 주요한 분야는 철학의 역사이다. 사실 철학의 역사는 다른 분야의 역사에도 그 영향력을 끼치고 그 소리가 울려 퍼져 밑바탕에서 그 의견을 이끌어가는 기본 저음이 된다. 다시 말해 철학의 역사가 세계를 지배하는 것이기도 하다. 그래서 철학은 잘만 이해한다면 가장 강력한 현실 세계의 권위가 될 수도 있지만 그 영향은 너무나도 서서히 나타난다.

7장

교육에 대하여

자연스러운 교육과 인위적인 교육의 차이

우리 지성의 본질에 따르면, 개념은 직관을 추상화해 생겨나는 것이기 때문에 직관은 개념보다 더 앞서 존재한다. 그러나 단순히 교사와 책에 대한 자신의 경험만 가지고 있는 사람의 경우에, 실제로 이러한 과정을 거치면 그는 어떤 개념이 직관에 해당하는 것이고 어떤 직관이 어느 개념에 속하는 것인지를 잘 이해할 수 있게 된다. 그것은 그가 이 두 가지를 정확하게 잘 알고 있다는 것을 의미하며, 그것에 따라 자신에게 일어나는 모든 일들을 올바르게 처리할 수 있게 된다. 우리는 이러한 방식을 '아주 자연스러운 교육'이라 부른다.

이와는 달리 '인위적인 교육'의 경우에는 구체적인 세계를 폭넓게 알기 전부터 책을 통해 미리 모든 것을 알려주고 가르쳐 수많은 개념을 머릿속으로 잔뜩 주입하는 것이다. 이렇게 되면 경험이 이 모든 개념에 대한 직관을 나중에라도 제공해야만 하는데, 그전까지는 이러한 개념을 잘못 이해하게 되고 그래서 인간은 사물과 인간을 오해하고 틀린 판단을 하게 되어 잘못 취급하게 되는 것이다. 이러한 인위적인 교육은 잘못된 사고방식을 가진 사람을 만들어내게 되고, 그 때문에 우리는 젊은 시절 오랫동안 독서를 하며 배웠던 시기를 거친 뒤에도 아주 편협하고 괴상한 모습으로 세상에 나와 때로는 소심하게 때로는 건방지게 행동한다.

우리는 머릿속에 가득 찬 개념을 현실에 적용해보려고 애쓰지만 주체와 객체가 뒤바뀌고 원인과 결과를 혼동하기 때문에 늘 잘못 적용한다. 우리는 자연스러운 정신의 발달과정과는 정반대로 먼저 개념을 얻고 마지막에 직관을 얻는다. 교육자들은 아이들에게 스스로 사물을 인식하고 또 판단하며 사고하는 능력을 키워주는 대신 다른 사람의 완성된 생각을 그 머릿속에 잔뜩 주입시키려 노력할 뿐이다.

이것 때문에 나중에 잘못된 개념을 적용하며 생기는 오판을 오랜 경험을 통해 바로 잡아야만 하지만, 이러한 작업이 성공적으로 끝나는 경우는 그리 많지 않다. 그다지 배우지 못한 사람들이 상식을 가지고 있는 경우가 많은 반면, 많이 배운 사람들이 상식을 지니고 있는 경우가 매우 드문 것은 바로 이 때문이다.

직관이 늘 개념보다 앞서게 아이들을 교육해야 한다

모든 교육의 목표는 세상을 알게 하는 것이라고 말할 수 있기 때문에 교육에 있어서 가장 중요한 부분은 올바른 끝에서 세상을 알기 시작하는 것일지도 모른다. 그러나 앞서 설명했듯이 이 모든 일은 직관이 개념에 선행하며, 더욱이 보다 좁은 개념이 보다 넓은 개념에 선행한다는 사실에서 나온다. 그러므로 우리는 사물의 개념들이 서로 어떻게, 무엇이 전제로 되는 것인지를 체계적으로 가르쳐야만 한다.

만약 이러한 순서를 건너뛰게 되면 곧바로 불완전한 개념이 만들어지게 되는 것이고, 그로부터 잘못된 개념이 발생해 결국 그 개인에게만 통용되는 비뚤어진 세계관이 만들어진다. 그 결과 거의 모든 사람들은 이렇게 만들어진 세계관을 아주 오랫동안 평생 머리에 지니고 살아간다. 그러다가 나이를 먹은 이후에서야 비로소 자기 자신을 되돌아보면서 깨닫게 되거나 혹은 갑자기 단순한 여러 사물과 그 관계에 대해 정확하고 명확하게 이해하게 되었음을 발견하게 된다. 그 사람이 세상을 잘못된 방식으로 이해한 것은 다른 사람에 의한 인위적인 교육에 의해서이거나, 아니면 자신의 경험만을 토대로 한 자연스러운 교육 때문이거나, 혹은 처음으로 가르침을 받을 때 그 대상을 건너뛰어서이기 때문이다.

그러므로 교육자는 진정으로 자연스러운 인식의 순서를 탐구하도록 노력해야 할 것이며, 그 다음에 그 순서에 따라 아이들에게 세계의 사물과 그 관계를 체계적으로 알려주어야 한다. 그리고 이때 다른 잘못된 생각이 아이들의 머릿속으로 들어가지 않도록 해야 하는데, 한 번 잘못된 생각이 주입되고 나면 다시는 버리지 못하는 경우가 종종 있기 때문이다.

이때 무엇보다 중요한 것은 아이들이 정확한 개념과 연결되지 못하는 말을 사용하지 않도록 해야 한다는 점이다. 그리고 직관을 늘 개념보다 앞서는 것으로 해야 하며, 그것이 반대로 되어서는 절대로 안 된다는 사실도 명심해야 한다.

그러나 보통 아이가 태어나자마자 두 발로 걸어 다닐 수 있다거나 처음부터 운에 맞추어 시를 지을 수 있다고 잘못 생각하는 것처럼 이러한 과정은 불행하게도 거꾸로 이루어진다. 아직 아이의 정신은 매우 연약한 직관을 지니고 있는데, 사람들은 거기에 개념이나 판단을 집어넣어 그야말로 아이들에게 선입견을 심어준다. 그러다 보면 아이들은 직관과 경험을 취해 먼저 완결된 개념을 지우려 하지 않고 오히려 그 개념에다 직관과 경험을 끼워 맞추려고 한다.

직관은 풍부하고 다양한 분야에 관심을 두는 것이기 때문에 간결성과 신속성이라는 측면에서 모든 것을 곧바로 처리하는 추상적인 개념과는 어울리지 않는다. 그러므로 먼저 선입견으로 자리 잡고 있는 개념을 직관이 바로잡으려 한다면 아주 오랜 시간이 걸리거나 어쩌면 결코 바로잡을 수 없게 된다.

서둘러 책을 쥐여주기보다는 현실세계에 대해 먼저 알려주라

일반적으로 아이들에게는 원본을 통해서만 인생을 경험하도록 해야 한다. 그것을 미리 사본으로 알게 해서는 안 되기 때문에 아이들에게 서둘러 손에 책을 쥐여주기보다는 사물과 인간관계에 대해 알려주어야 한다. 무엇보다도 아이들이 현실 세계를 순수하게 파악하고 그곳에서 개념을 직접 이끌어낸 후에 그에 대한 근거를 형성할 수 있도록 해주어야 한다.

이러한 개념을 현실이 아닌 다른 곳, 책이나 동화 혹은 다른 사람의 말에서 가져와 이미 만들어진 것으로 현실에 적용해서는 안 된다. 그렇게 되면 환상과 착각으로 가득한 머리는 현실을 잘못 파악하거나 그런 착각에 따라 현실을 바꾸려고 헛된 노력을 하다가 결국 이론적으로나 실재적으로도 미로 속으로 빠져들고 만다. 이렇게 어린 시절부터 심어진 환상과 그에게서 생겨나는 선입견이 얼마나 큰 해를 입히는지는 믿을 수 없을 정도로 크다.

다시 말하자면 현실 생활에서 얻는 나중의 교육은 주로 그러한 잘못을 가려내는 데 활용되어야만 한다. 디오게네스가 "무엇을 습득하는 것이 가장 필요한가?"라고 묻자 안티스테네스가 "가장 나쁜 것을 잊어버리는 것이다"라고 대답하는 것도 바로 그 때문이다.

유년기와 청년기에는 이런 교육을 실시해야 한다

아주 어린 시절부터 머릿속에 주입된 잘못된 오류는 일반적으로 지우기 어렵다. 판단력은 가장 늦게 성숙하기 때문이다. 그러므로 아이들이 열여섯 살이 될 때까지는 커다란 오류가 있을 수도 있는 모든 가르침들에서, 즉 철학이나 종교, 무수한 종류의 일반적인 의견으로부터 멀리하도록 해야만 한다. 하지만 오류가 존재하지 않는 수학, 오류가 존재하더라도 그다지 위험하지 않은 어학, 자연과학, 역사 같은 과목은 가르쳐야만 한다. 어떤 나이 대에서 그 시기의 두뇌가 받아들일 수 있고 또 완전히 이해할 수 있는 학문만을 가르쳐야 하는 것이다.

유년기와 청년기는 자료들을 수집해서 그 각각의 특징들을 아주 특별한 방법으로, 근본적으로 알아나가는 시기이다. 그러나 일반적인 판단은 미루어두고, 최종 설명도 뒤로 미루어야만 한다. 판단을 내리기 위해서는 성숙한 경험이 필요하므로 판단력은 그대로 보호하면서, 그 판단력에 선입견이 침투하지 않도록 주의를 기울여야만 한다. 그렇지 않으면 판단력이 영원히 마비되어버리고 만다.

기억력은 젊은 시기에 가장 왕성하고 또 오래가기 때문에 이 시기에는 그것이 아주 중요한 역할을 한다. 그러므로 아주 세심하고 주도면밀하게 그 기억력의 대상을 선택하는 것이 중요하다. 이 시기에 확실하게 기억해둔 것은 평생을 가므로 이 귀중한 소질을 최대한 이롭게 활용해야 하기 때문이다.

우리가 우리의 생애 최초 12년 동안 알고 지낸 사람들이 기억 속에 얼마나 깊게 새겨져 있는지를 생각해보면, 또 그 시기에 경험하고 듣고 배운 대부분의 일이 잊혀지지 않고 깊이 뇌리에 새겨져 있는 것을 떠올려보면, 이 시기에 정신의 감수성과 집요함을 교육의 기초로 삼는 것은 어쩌면 아주 자연스러운 생각이다. 그러므로 이러한 특성에 대해 모든 인상을 규칙과 질서에 따라 체계적이고 논리적으로 그리고 아주 엄격하게 관리해야만 한다.

물론 인간의 청소년기는 불과 몇 년에 지나지 않고, 기억이라는 능력은 개개인에 따라 늘 한정되어 있는 것이어서 가장 본질적이자 중요한 것만 기억해두고 나머지는 없애버리는 것이 중요하다. 각 전문 분야에서 가장 유능한 전문가들이 충분한 고심을 통해 이러한 선택을 맡아야 하고, 그 선택의 결과도 확인할 수 있어야만 한다. 이때 일반적인 사람들을 위한 교양 혹은 특수한 직업이나 전문 분야를 위한 기초가 되는 지식을 선별해야만 하므로 이에 필요한 것과 중요한 것을 알고 있어야 한다.

일반적인 인간에게 필요한 지식은 각 개인의 외적인 상황을 감안해 일반적인 교양의 정도에 따라서 과목을 편성하고, 필수적인 기본 과목에서부터 철학에 이르기까지 전체 과목을 모두 포함하는 것으로 단계적으로 구성해 그것을 기본과정이나 과목으로 세분화시키고 확장해야 한다. 특수한 직업이나 전문 분야의 지식은 그 분야의 진정한 전문가에게 그 선택을 맡기는 것이 좋다.

이렇게 얻은 지식의 전체적인 모습은 지적 교육을 위해 특수하게 완성시킨 하나의 표준이 될 것이다. 물론 이러한 표준도 10년마다 한 번씩은 수정할 필요가 있다. 이런 방식으로 교육을 실시한다면 청년 시절에 가지는 기억의 힘을 최대한 유리하게 이용해 그 이후의 판단력에 아주 탁월한 재료가 될 것이다.

각 개개인이 지닌 능력은 인식의 성숙과 전혀 상관이 없다

인식 능력의 성숙, 즉 개개인이 도달할 수 있는 인식 능력의 완전성은 모든 추상적 개념과 직관적 파악 사이에서 적절하고 정확한 연결이 이루어진다는 데서 존재한다. 그리하여 각각의 개념이 직접적으로나 간접적으로 직관적인 토대를 근거로 하며, 그럼으로써만 그 개념이 실질적인 가치를 가진다.

이것과 마찬가지로 사람은 자신에게 일어나는 모든 직관적인 것을 그에 맞는 올바른 개념 안으로 포함시킬 수 있다. 이러한 성숙한 모습은 오직 경험 혹은 시간의 산물이다. 우리는 직관적인 인식과 추상적인 인식을 보통 따로 얻게 되는데, 직관적인 인식은 자연스러운 과정을 통해 얻게 되지만 추상적인 인식은 다른 사람으로부터 좋은 것과 나쁜 것에 대한 가르침을 통해 전달받는다. 그래서 청년기에는 보통 말로 한정된 개념이나 혹은 직관을 통해 얻은 실질적인 인식 사이의 일치와 연결이 거의 일어나지 않는다. 그러다가 나중에 개념과 직관이 서서히 서로에게 다가가서야 비로소 인식의 성숙이 이루어지게 된다.

이러한 인식의 성숙은 각 개개인이 지닌 능력의 높고 낮음과 관계가 없고, 또 완전함의 정도와도 전혀 관계가 없다. 그 완전성이라는 것은 추상적 인식과 직관적 인식의 연관성에 의한 것이 아니라 그 두 인식의 깊이에 따른 것이기 때문이다.

8장

인생의 본질을 들려주는 비유와 우화

다양하게 이용할 수 있는 오목거울의 비유

오목 거울은 다양한 비유의 대상으로 이용할 수 있다.

첫 번째로, 오목 거울이 자신의 힘을 한곳으로 모은다는 점에서는 천재에 비유할 수 있다. 그리하여 천재는 오목 거울처럼 외부로 보이는 사물의 상을 왜곡시키거나 미화시킬 수 있고, 또 밝기와 온기를 더하는 놀라운 효과를 만들어낼 수도 있다.

두 번째로, 진정한 예술 작품들도 모두 오목 거울에 비유할 수 있다. 그 작품이 원래 전달하려고 하는 바가 자기 자신이 지각할 수 있는 자아나 경험적인 내용이 아니라 자신의 바깥에 존재하는 한, 게다가 손으로 잡을 수 있는 것이 아닌 오히려 붙잡기 어려운 사물의 본질적인 정신이어서 상상력에 의존해서만 그것을 좇아갈 수 있는 한 말이다.

세 번째로, 절망적인 사랑에 빠진 사람도 시적으로 표현하자면 자신의 무정한 애인을 오목 거울에 비유할 수 있다. 오목 거울은 마치 애인처럼 반짝거리고, 다른 것에 불을 붙이고 열기를 빨아들이지만 정작 자신은 냉정함을 유지하기 때문이다.

아름답고 숭고한 땅과 비옥하고 기름진 땅의 차이

스위스의 산악 지대는 마치 천재와도 같다. 아름답고 숭고하지만 영양이 가득한 열매를 맺기에는 적당하지 않다.

반면 포메른과 홀슈타인의 습지는 비옥하고 기름진 땅이지만 나에게 이득만을 안겨주는 속물의 모습처럼 아주 속되고 또 지루하다.

다른 동물들은 인간을 꺼리지만
파리는 인간의 코 위에 앉는다

파리는 진정으로 뻔뻔함과 오만함의 상징으로 여길 만한 동물이다. 다른 동물들은 모두 인간을 꺼리며 인간으로부터 멀리 피해 달아나지만 파리는 인간의 코 위에 앉기 때문이다.

천문학자와도 같은 사람과 철학자와도 같은 사람의 차이

중국인 두 명이 처음으로 극장 구경을 갔다. 한 명은 무대 기계장치에 감추어진 원리를 알아내고자 몰두해 결국 그 비밀을 알아내는 데 성공했다. 다른 한 명은 언어를 이해하지 못했지만 그 연극의 의미를 알아내려고 했다.

기계장치에 관심을 보였던 이는 천문학자와도 같다. 반면에 다른 한 사람은 철학자와도 같다.

가시가 없는 장미는 없지만,
장미가 없는 가시는 많다

실체적인 것이 아니라 이론적으로만 존재하는 지혜는 그 색과 향기로 다른 이들을 기쁘게 하지만 열매를 맺지 못하고 떨어지는 장미와도 같다. 가시가 없는 장미는 없지만, 장미가 없는 가시는 많다.

좋을 때뿐 아니라 나쁠 때도 전나무는 우리와 함께 견딘다

개는 충실함의 상징이다. 식물 중에는 전나무가 그러한 존재이다.

전나무만은 좋을 때뿐 아니라 나쁠 때도 우리와 함께 견딘다. 다른 나무들과 식물, 곤충, 새들은 다시 해가 빛날 때 되돌아오기 위해 우리 곁을 떠나지만 전나무만은 태양의 총애를 받으며 우리 곁을 떠나지 않는다.

나는 겨울이 와도
지금 그대로의 모습일 거야!

꽃이 만발하고 가지가 무성한 사과나무 뒤로 곧게 자란 전나무가 뾰족하고 컴컴한 가지를 치켜들고 서 있었다. 사과나무가 전나무에게 말했다.

"나를 완전히 뒤덮고 있는 수천 개의 아름답고 싱싱한 나의 꽃들을 보렴. 너는 내게 보여줄 것이 있니? 검푸른 침밖에 없지 않니?"

그러자 전나무가 대꾸했다.

"그러나 곧 겨울이 오면 네 잎은 모두 다 떨어지고 말겠지. 하지만 나는 그때도 지금 그대로의 모습일 거야!"

그 나무는 다른 식물들과는 달리 결코 죽지 않는다

참나무 아래에서 식물을 채집하다가, 풀밭에서 다른 풀들과 같은 크기의 어떤 식물을 발견한 적이 있다. 이파리가 오그라들고 줄기가 곧고 빳빳한 검은 식물이었다. 내가 그 식물을 만지자 그것은 단호한 목소리로 말했다.

"나를 뽑지 마. 나는 자연이 일 년의 생명을 준 다른 식물과 같이 식물 표본실용 풀이 아니야. 내 인생은 수백 년이야. 나는 작은 참나무야."

이처럼 수백 년이나 살아간다는 그 나무는 수세기에 걸쳐 아이로서, 청년으로서 때로는 성인으로서 서 있다. 겉보기에는 하찮아 보이는 모습으로 살아가는 다른 평범한 식물처럼 서 있다. 그러나 그 나무는 다른 식물들과는 달리 결코 죽지 않는다.

나는 남들을 위해서가 아니라
나를 위해 꽃을 피우는 거야!

나는 들꽃을 발견하고 그 아름다움과 세세한 부분이 전부 완벽한 것에 감탄하며 외쳤다.

"하지만 이 꽃의 모든 것이 그 어떤 주목도 받지 못하고, 어떨 때는 그 누구의 눈에 띄지도 않은 채 화려하게 피어 있다가 시들어버리지."

그러자 꽃이 이렇게 대답했다.

"이런 바보 같으니! 내가 남들에게 보이기 위해 꽃이 핀다고 생각하니? 나는 다른 사람들을 위해서가 아니라 나를 위해 꽃을 피우는 거야. 나는 나를 기쁘게 하기 위해 꽃을 피우는 거야. 나의 행복과 기쁨은 꽃이 핀다는 데, 즉 내가 존재하는 데 있어."

나는 태양이기 때문에 떠오를 뿐,
나를 볼 수 있는 자는 나를 보아라!

지구 표면이 여전히 균일하고 고른 화강암으로 이루어져 있고 아직 그 어떠한 생물도 나타날 상태가 아니었던 어느 날 아침, 태양이 떠올랐다. 신의 사자 이리스는 주피터의 아내 주노를 대신해 급히 태양을 향해 날아가 외쳤다.

"무엇 때문에 떠오르는 수고를 하는 것이냐? 너를 보는 눈도 없고, 아직 지각하는 기억도 없는 모양이구나."

그러자 태양의 대답이 돌아왔다. "하지만 나는 태양이야. 나는 태양이기 때문에 떠오르는 거야. 나를 볼 수 있는 자는 나를 보아라!"

참고 견더라. 그런 인내심이 너의 영광과 명성을 얻는 조건이다!

꽃이 만발한 아름답고 푸르른 오아시스가 주변을 둘러보았다. 그러나 주위에는 사막 외에는 아무것도 보이지 않았다. 오아시스는 자기 자신과 같은 오아시스가 있는지 주위를 살피며 찾아보았지만 헛수고였다.

그녀는 크게 탄식했다.

"나는 불행하고 외로운 오아시스로구나! 이렇게 혼자가 되다니! 나와 같은 곳은 어디에도 없구나! 나를 발견할 눈과 내 풀밭과 나의 샘물, 야자수와 덤불을 기뻐할 눈이 사방 그 어디에 단 하나도 없구나! 모래와 바위만 가득하고 생명이 하나도 없는 사막만이 나를 둘러싸고 있구나. 이 황무지에서 나의 모든 장점과 이 아름다움과 풍요로움이 다 무슨 소용이 있겠는가!"

그러자 늙고 새하얀 어머니인 사막이 대답했다.

"내 아이야, 만일 내가 지금 슬프고 메마른 사막이 아니라 꽃이 만발하고 푸른 식물로 가득하다면 너는 멀리서 온 나그네가 환호하는 오아시스가 되지 않을 것이다. 너는 그 자체로 보잘것없고 눈에 띄지도 않는 나의 극히 작은 일부분에 지나지 않을 것이다. 그러니 참고 견뎌라. 그런 인내심이 너의 영광과 명성을 얻는 조건인 것이다."

기구를 타고 하늘로 올라가는 사람은 땅이 점점 아래로 내려가는 걸 본다

기구를 타고 하늘로 올라가는 사람은 자신이 떠오르는 것을 보는 것이 아니라 땅이 점점 아래로 내려가는 것을 본다. 이것이 의미하는 것은 무엇인가? 이 말에 동의하는 사람만이 이해할 수 있는 미스터리이다.

한 인간의 정신적인 위대함은 멀어질수록 더 커진다

한 인간의 위대함을 추정할 때 정신적인 위대함에는 물리적인 것과는 반대되는 법칙이 적용된다. 물리적인 크기는 멀리 있을수록 더 작아지지만, 정신적인 위대함은 멀어질수록 더 커진다.

모든 사물을 밝고 즐거운 시선으로 바라보기 위해서는

푸른 자두나무 위에 맺힌 영롱한 이슬처럼 자연은 모든 사물에 '아름다움'이라는 허식을 발랐다. 화가들과 시인들은 이것을 벗겨내고 쌓아올려 우리가 편안하게 즐길 수 있게 해준다. 그러면 우리는 현실 생활에 들어가기도 전에 그 허례허식을 탐욕스럽게 들이킨다. 그러나 나중에 우리가 현실 생활로 돌아가면 이제 자연이 부여한 그 아름다움이라는 허례허식이 벗겨진 게 보이는 것은 당연한 일이다. 왜냐하면 예술가가 그 허례허식을 완전하게 사용해버렸고, 우리는 그것을 이미 미리 즐겼기 때문이다.

그에 따라 지금은 모든 것이 대체로 불친절하고 무미건조하게 생각되고 종종 역겨워 보이기까지 한다. 그러므로 어쩌면 우리가 스스로 그것을 발견하도록 그 허례허식을 그대로 놓아 두는 것이 더 나을지도 모른다. 하지만 그렇게 되면 수많은 아름다움을 모아서 한꺼번에 그림이나 시의 형태로 즐기진 못할 것이다. 그러나 모든 사물을 밝고 즐거운 시선으로 바라볼 수는 있을 것이다. 현실에서는 미적 기쁨과 삶의 매력을 미리 즐기지 못한 자연인만이 이따금씩 사물을 그렇게 밝고 즐거운 빛으로 볼 뿐이다.

서로를 견딜 수 있는 적당한 간격을 유지하라

어느 추운 겨울날, 한 무리의 고슴도치들이 서로의 체온을 이용해 얼어 죽지 않기 위해 서로 가까이 모여 앉아 한 덩어리가 되었다. 하지만 그들은 곧 그들의 가시가 서로를 찌르는 것을 느꼈다. 그래서 그들은 다시 떨어졌다. 하지만 추위를 견딜 수 없어서 다시 한 덩어리가 되었고, 그러자 가시가 다시 서로를 찔러 그들은 다시 서로에게서 멀어졌다. 이렇게 그들은 두 가지 시련 사이를 오가다가 마침내 상대방의 가시에서 안전한 적당한 거리를 발견한다.

인간의 공허함과 무료함에서 생겨나는 인간 사회에 대한 욕구는 인간을 한 덩어리가 되게 한다. 하지만 그들은 또 불쾌한 일과 참을 수 없는 결점으로 인해 서로 멀어진다. 그러기를 반복하다가 마침내 그들은 서로를 견딜 수 있는 적당한 간격을 발견한다. 그것이 바로 존중과 예의다. 그리하여 그것을 지키지 않는 이에게 '거리를 지켜라(keep your distance)'고 말하는 것이다. 그 결과로 서로 따뜻해지려는 교류의 욕망은 충족하면서도 가시에 찔리는 상황은 피할 수 있다.

하지만 내적인 따뜻함이 많은 사람은 다른 사람으로부터 고통과 괴로움을 받지 않기 위해 사회에서 거리를 두고 멀리 떨어져 있기를 좋아한다.

Schopenhauer

★ 메이트북스는 독자의 꿈을 사랑합니다.

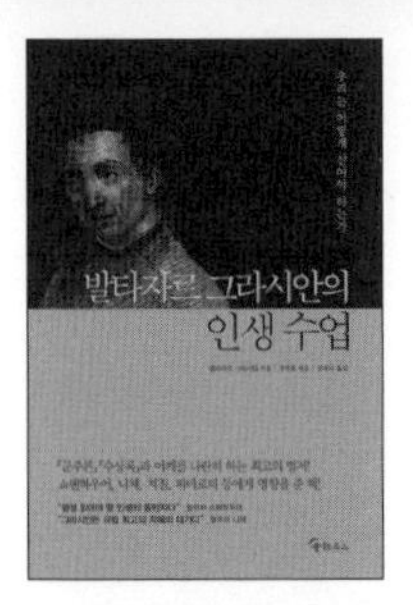

우리는 어떻게 살아야 하는가

발타자르 그라시안의 인생 수업

발타자르 그라시안 지음 | 정영훈 엮음 | 김세나 옮김 | 15,000원

이 책은 스페인의 대철학자 발타자르 그라시안의 인생에 대한 뛰어난 통찰력과 인간관계의 본질에 대한 직설적인 조언을 담은 인생지침서다. 발타자르 그라시안은 좋은 사람인 척 살아가기보다는 세상의 본질을 알고 지혜를 갖출 때 내 삶은 행복해진다는 메시지를 전하고 있다. 이 책에서 만날 수 있는 현명하고 솔직한 직언으로 자기 자신의 모습을 되돌아보며 삶을 살아갈 힘을 얻어보자.

자기를 온전히 믿고 살아가라

에머슨의 자기 신뢰

랠프 월도 에머슨 지음 | 황선영 옮김 | 값 12,000원

이 책은 인간이 자기 신뢰를 기초로 행동함으로써 더 나은 성취를 이룰 수 있다는 깊은 통찰이 담긴 에세이다. 에머슨은 '자신을 믿는 사람은 세계에서 가장 강한 사람'이라고 말한다. 자기 신뢰를 실천하면 내 안에 잠들어 있던 놀라운 힘을 발견하게 된다는 것이다. 이 책을 읽는 독자는 자신을 믿고 자신의 능력에 자부심을 가짐으로써 더 큰 성공을 얻고 만족스러운 삶을 살아갈 수 있을 것이다.

무엇을 위해 살고, 무엇을 사랑할 것인가?

위대한 철학자들의 죽음 수업

몽테뉴 외 지음 | 강현규 엮음 | 안해린 외 옮김 | 15,000원

이 책은 위대한 철학자 5인의 '죽음에 대한 생각'을 한 권의 책으로 묶어낸 고전 편역서다. 고대에서부터 현대까지 수많은 철학자들이 답을 찾고자 매달려온 철학적 주제이자, 영원히 풀리지 않을 숙제인 '죽음'에 대한 남다른 고찰이 엿보인다. 책을 관통하는 메시지는 '죽음에 대한 이해를 통해 삶을 더욱 온전히 이해할 수 있다'는 것이다. 철학자들의 인간 본질에 대한 통찰과 지혜가 담긴 죽음 수업은 죽음을 이해하고 현명한 삶을 살게 하는 열쇠가 되어줄 것이다.

주체적이고 행복한 삶을 위한 철학 에세이

세네카의 말

루키우스 안나이우스 세네카 지음 | 정영훈 엮음 | 정윤희 옮김 | 값 16,000원

이 책은 우리의 짧은 인생을 윤택하게 만드는 방법에 대해 알려주는 철학 에세이다. 저자인 세네카는 고대 스토아 철학의 대가로 주체적인 삶을 살아야 함을 강조하고, 과거도 미래도 아닌 '지금 이 순간'을 충만하게 사는 것이 중요함을 말한다. 또 이성으로 감정과 욕망을 통제하는 것을 중시하는 스토아학파답게 '화'라는 감정을 적절히 다스려 현인으로 성장하는 법을 제시한다. 위대한 철학가의 가르침에 따라 자신의 삶을 돌아본다면 유한한 삶을 후회 없이 살아가는 방법에 대한 힌트를 얻을 수 있을 것이다.

어떻게 살아야 행복할 수 있는가

톨스토이의 인생론

레프 톨스토이 지음 | 이선미 옮김 | 값 11,000원

레프 톨스토이는 세계적인 대문호이자 위대한 사상가이기도 하다. 그는 인생에 대해 끊임없이 고뇌하고 거기서 얻은 사상을 현실에서 구현하려고 노력했다. 15년에 걸쳐 집필한 결과물이 바로 이 책『인생론』이다. 이 책은 톨스토이가 직접 쓴 글은 물론이고 동서양을 막론한 수많은 작품과 선집에서 톨스토이가 직접 선별한 내용을 담고 있다. 인생의 지혜를 톨스토이 특유의 짧고 간결한 문장으로 만나볼 수 있을 것이다.

자신과 마주하고 지혜롭게 살아가기

아우렐리우스의 명상록

마르쿠스 아우렐리우스 지음 | 이현우·이현준 편역 | 값 11,000원

마르쿠스 아우렐리우스는 로마제국을 20년 넘게 다스렸던 16대 황제다. 그는 로마에 있을 때나 게르만족을 치기 위해 진영에 나가 있을 때 스스로를 반성하고 성찰하는 내용을 그리스어로 꾸준히 기록했다. 그 결과물이 바로『명상록』이다. 마음가짐을 어떻게 가져야 하는지, 삶과 죽음에 대한 바람직한 태도는 무엇인지, 변하지 않는 세상의 본질은 무엇인지 등을 들려주고 있어 곱씹고 음미하면서 책장을 넘기게 될 것이다.

소크라테스의 변론·크리톤·파이돈·향연

삶이 흔들릴 때 소크라테스를 추천합니다

플라톤 지음 | 김세나 옮김 | 값 11,500원

서양철학의 근간인 소크라테스는 생전에 단 한 권의 책도 저술하지 않았지만 그의 사상은 수제자인 플라톤의 저서를 통해 후대에 전해지고 있다. 소크라테스의 죽음과 관련된 책들인『소크라테스의 변론』『크리톤』『파이돈』과 '에로스'를 예찬하는『향연』은『플라톤의 대화편』이라고 불리는 25편의 대화편 중 초기와 중기의 저작들이다. 현대의 독자들은 이 책 한 권만 읽으면 소크라테스 사상의 정수를 만끽할 수 있을 것이다.

돈과 인생에 대한 위대한 통찰

벤저민 프랭클린의 부와 성공의 법칙

벤저민 프랭클린 지음 | 강현규 엮음 | 정윤희 옮김 | 값 12,000원

인생에 대한 다양하고 지혜로운 충고들과 어떻게 부자가 될 수 있는지를 알려주는 금언집이다. 이 책은 부자가 되는 방법은 생각보다 어렵지 않으며, 사소한 습관 하나를 바꾸는 것에서 시작할 수 있다고 말한다. 가령 돈을 낭비하는 습관부터 버린다면 지금보다 좀 더 부유할 수 있으며, 저금을 할 줄 모르는 사람은 결코 부자가 될 수 없다는 식이다. 미국인의 '마음의 대통령'인 벤저민 프랭클린이 전해주는 말로 인생에 대한 혜안과 올바른 소비습관을 길러볼 수 있을 것이다.

인생의 짧음과 마음의 평정에 대하여

세네카의 인생론

루키우스 안나이우스 세네카 지음 | 정영훈 엮음 | 정윤희 옮김 | 값 12,000원

고대 스토아 철학파의 대가로 불리는 세네카의 산문 『인생의 짧음에 대하여』와 『마음의 평정에 대하여』를 한 권으로 엮었다. 값진 인생을 살기 위한 세네카의 위대한 통찰을 느끼고 싶다면 이 책을 펼쳐보기를 바란다. 편역서라는 책의 특성상 시대적·역사적·문화적으로 지나치게 거리가 먼 부분은 일부 삭제하고 필요한 핵심만 골라 소개했다. 그럼에도 세네카가 독자에게 건네는 깨달음과 그 가치의 탁월함을 느낄 수 있을 것이다.

행복의 비밀을 알려주는 위대한 고전

세네카의 행복론

루키우스 안나이우스 세네카 지음 | 정영훈 엮음 | 정윤희 옮김 | 값 12,000원

삶과 죽음의 의미 그리고 진정한 행복이 무엇인지와 같은 인생의 본질적인 질문을 우리 마음속에 던져주는 책이다. 세네카의 주옥같은 글들을 읽다 보면 지금 나에게 닥친 여러 가지 고민들을 딛고 일어설 수 있는 용기와 깨달음을 얻을 수 있다. 가끔 내가 가진 행복이 남들보다 작은 것 같아서 속상할 때, 급작스럽게 찾아온 고난을 이기지 못해 좌절할 때 이 책을 한번 읽어보자.

치솟는 화에 맞서 내 영혼을 지키는 법

세네카의 화 다스리기

루키우스 안나이우스 세네카 지음 | 강현규 엮음 | 정윤희 옮김 | 값 12,000원

세네카의 책이 쓰인 지 2천 년이 넘는 세월이 흘렀지만 현대인들은 여전히 자신의 화를 통제하지 못하고 많은 문제에 휩싸인 채 살아간다. 세네카는 이 책을 통해 인간에게 화가 왜 불필요한지, 화라는 감정의 실체는 무엇인지, 화의 지배에서 벗어나 화를 통제하고 다스리는 법은 무엇인지를 다양한 예화를 곁들여 이야기한다. 별것 아닌 일에 쉽게 욱하고, 돌아서면 후회할 일에 쉽게 화를 내는 사람들에게 이 책을 권한다.

리더십과 인간의 진실은 무엇인가

마키아벨리의 군주론

니콜로 마키아벨리 지음 | 김경준 해제 | 서정태 옮김 | 값 12,000원

누구나 잘 알지만 읽지 못했거나 혹은 오해와 편견으로만 대했던 불멸의 고전인 『군주론』이 리더십의 정수를 꿰뚫는 인문서로 다시 태어났다. 완독과 의미 파악이 쉽지 않았던 원문을 5개의 테마로 나누어 새롭게 재편집했으며, 마키아벨리의 추종자임을 자처하는 딜로이트 컨설팅 김경준 대표가 해제를 더했다. 이 책은 인간이 살아가는 현실에 대한 귀중한 통찰력의 원천이 될 것이다.

■ 독자 여러분의 소중한 원고를 기다립니다

메이트북스는 독자 여러분의 소중한 원고를 기다리고 있습니다. 집필을 끝냈거나 집필중인 원고가 있으신 분은 khg0109@hanmail.net으로 원고의 간단한 기획의도와 개요, 연락처 등과 함께 보내주시면 최대한 빨리 검토한 후에 연락드리겠습니다. 머뭇거리지 마시고 언제라도 메이트북스의 문을 두드리시면 반갑게 맞이하겠습니다.

■ 메이트북스 SNS는 보물창고입니다

메이트북스 홈페이지 www.matebooks.co.kr

책에 대한 칼럼 및 신간정보, 베스트셀러 및 스테디셀러 정보뿐만 아니라 저자의 인터뷰 및 책 소개 동영상을 보실 수 있습니다.

메이트북스 유튜브 bit.ly/2qXrcUb

활발하게 업로드되는 저자의 인터뷰, 책 소개 동영상을 통해 책에서는 접할 수 없었던 입체적인 정보들을 경험하실 수 있습니다.

메이트북스 블로그 blog.naver.com/1n1media

1분 전문가 칼럼, 화제의 책, 화제의 동영상 등 독자 여러분을 위해 다양한 콘텐츠를 매일 올리고 있습니다.

메이트북스 네이버 포스트 post.naver.com/1n1media

도서 내용을 재구성해 만든 블로그형, 카드뉴스형 포스트를 통해 유익하고 통찰력 있는 정보들을 경험하실 수 있습니다.

STEP 1. 네이버 검색창 옆의 카메라 모양 아이콘을 누르세요. STEP 2. 스마트렌즈를 통해 각 QR코드를 스캔하시면 됩니다.
STEP 3. 팝업창을 누르시면 메이트북스의 SNS가 나옵니다.